AMORES

AMBASSADE
DE FRANCE
AU BRÉSIL
Liberté
Égalité
Fraternité

Cet ouvrage, publié dans le cadre du Programme d'Aide à la Publication année 2019 Carlos Drummond de Andrade de l'Ambassade de France au Brésil, bénéficie du soutien du Ministère de l'Europe et des Affaires étrangères.

Este livro, publicado no âmbito do Programa de Apoio à Publicação ano 2019 Carlos Drummond de Andrade da Embaixada da França no Brasil, contou com o apoio do Ministério Francês da Europa e das Relações Exteriores.

Léonor de Récondo

AMORES

tradução Diego Grando

Porto Alegre · São Paulo · 2020

Copyright © 2015 Sabine Wespieser éditeur
Título original: *Amours*

CONSELHO EDITORIAL Gustavo Faraon e Rodrigo Rosp
PREPARAÇÃO Samla Borges Canilha
CAPA E PROJETO GRÁFICO Luísa Zardo
REVISÃO Meggie C. Monauar e Rodrigo Rosp
FOTO DA AUTORA Émilie Dubrul

DADOS INTERNACIONAIS DE
CATALOGAÇÃO NA PUBLICAÇÃO (CIP)

R294a Récondo, Léonor de.
Amores / Léonor de Récondo ; trad. Diego
Grando. — Porto Alegre : Dublinense, 2020.
192 p. ; 21 cm.

ISBN: 978-65-5553-002-5

1. Literatura Francesa. 2. Romances
Franceses. I. Grando, Diego. II. Título.

CDD 843.91

Catalogação na fonte:
Ginamara de Oliveira Lima (CRB 10/1204)

Todos os direitos desta edição
reservados à Editora Dublinense Ltda.

EDITORIAL
Av. Augusto Meyer, 163 sala 605
Auxiliadora • Porto Alegre • RS
contato@dublinense.com.br

COMERCIAL
(51) 3024-0787
comercial@dublinense.com.br

PARA MINHA TUTTA BLU

*Nosso amor é o amor da vida,
o desprezo da morte.*

PAUL ÉLUARD
Au fond du cœur em *Donner à voir*

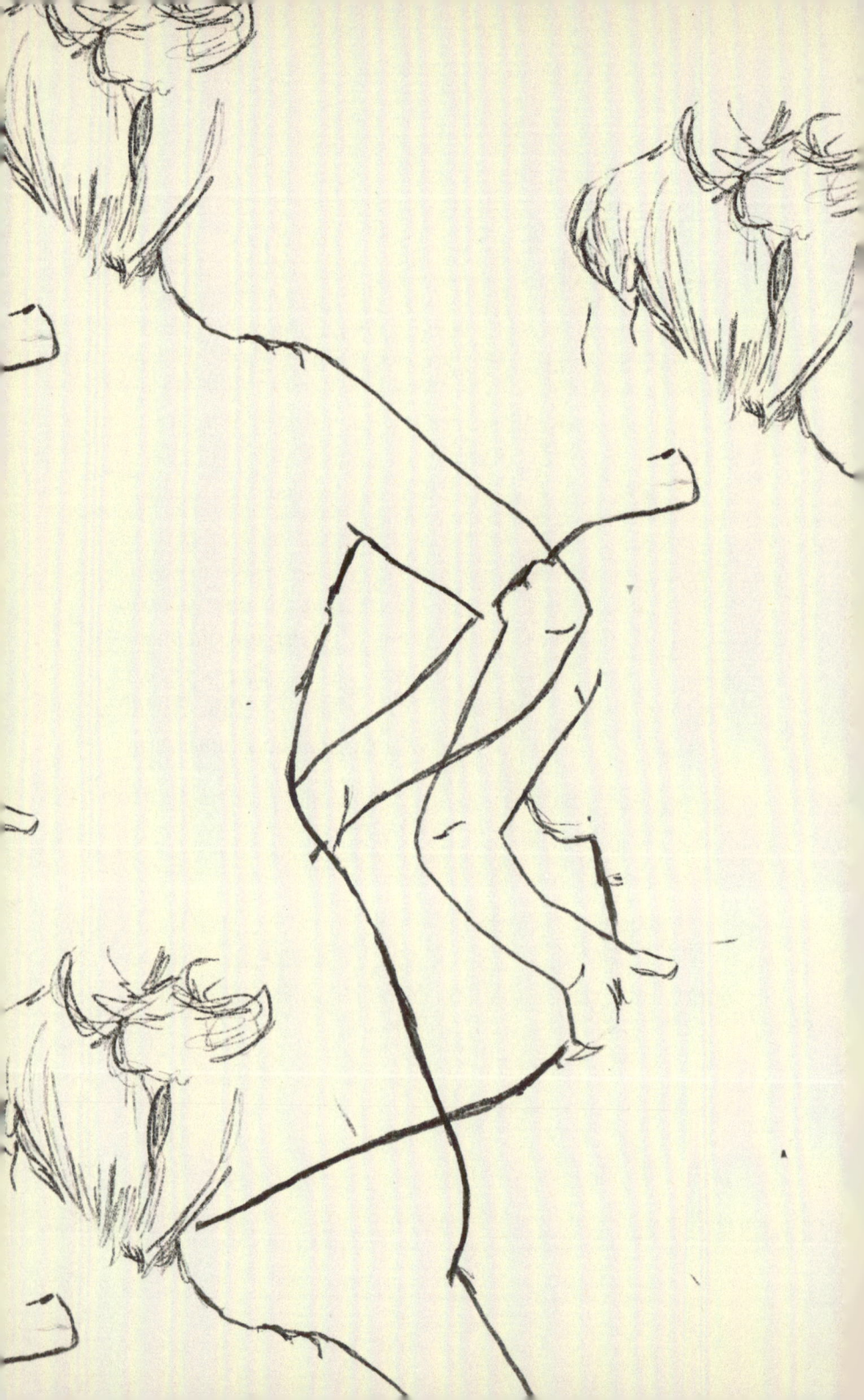

Anselme empurra Céleste no colchão, toda vez o mesmo gesto de atirá-la de bruços, a cabeça afundada no travesseiro, os cabelos ao alcance das mãos. Levanta a saia dela num instante. Ela não resiste, não resiste mais. Ele a segura pelo coque, agarra com força a massa de cabelos. Depois se acomoda, metido entre suas coxas, e começa. Os pés da cama de ferro rangem. Nem Anselme nem Céleste ouvem o lamento da cama que suporta o amor forçado. É trabalhoso, sempre. É longo. Ela se pergunta por que esses momentos passam tão devagar. Por que não desmaiar para não sentir nada.

Uma vez, tentou tocar no assunto com Huguette na escada de serviço. Trêmula, balbuciou:

— É o monsieur de Boisvaillant...

Seus joelhos começaram a bater. Huguette entendeu de imediato. Disse-lhe que ficasse quieta, repetindo várias vezes:

— Fique quieta e não invente de contar para a madame!

Observou em silêncio aqueles joelhos tocando um no outro. E acrescentou, dando-lhe as costas:

— Mantenha a cabeça erguida, é tudo o que gente como nós pode fazer! Manter a cabeça erguida para pensarem que você não se envergonha.

Céleste levantou a cabeça, cerrou os dentes e enrijeceu as pernas para que os joelhos parassem de se mexer daquele jeito estúpido. Conseguiu articular:

— Está bem, Huguette.

O tom de sua voz é baixo, quase calmo. Percebe de repente que a solidão em que nasceu a obriga a aquiescer sempre. Se tivesse tido escolha — mas essa palavra não existe na sua condição, nem no seu vocabulário — ela teria dito: "Não". Teria até gritado.

Quando Anselme está determinado a entrar e sair dela, Céleste pensa em outra coisa. É algo que acabou se tornando simples. Tem predileção pela clareira. Enquanto ele faz seu trabalho, ela caminha pela floresta onde, na infância, ia brincar com seus irmãos e irmãs. São tantos que ela nem sabe ao certo quantos são, nunca os contou. Ela é uma entre eles. Essas caminhadas ela nunca esquece, são suas lembranças mais preciosas. A despreocupação de correr, de respirar o húmus e a resina dos pinheiros, de brincar de esconder, de saborear esses momentos antes de voltar para a granja escura onde, de repente, todos se encurvam, todos se dobram até desaparecer para escapar dos gritos do pai.

Anselme aperta um pouco mais a massa de cabelos, tem prazer em se machucar com os grampos. Senti-los cravando na palma da mão, quase gozar — fazer com que esse quase dure o máximo possível. Puxar o coque na sua direção para que ela se arqueie. Nesse momento, Céleste já não existe, é apenas um corpo, e ele gostaria que esse corpo gritasse, participasse um pouco, mas nada além de silêncio. Quando ele vai gozar, puxa um pouco mais forte o coque, que se desfaz nas suas mãos. Confunde, então, cabelos e crina, sentindo-se um soberano numa cavalgada sem fim.

Ele cai com todo seu peso sobre a montaria. Céleste não sente os bulbos dos cabelos sendo arrancados um a um. Está sentada na clareira da floresta. Seu lugar favorito. Não tem nada para fazer ali, só esperar o tempo passar. E é o que ela faz.

O passeio encantado é abruptamente interrompido quando o corpo dele desaba sobre o seu. Que pesado!, toda vez ela se surpreende. Pesado e sem força, pesado e vazio. Retorna então à realidade do travesseiro que ela morde até sufocar, aos guinchos da cama de ferro, que cessaram, a esse quartinho minúsculo sob o telhado, onde às vezes faz muito frio, às vezes muito calor.

Levanta a cabeça, mantendo-a bem erguida, como deve ser. Anselme, já em pé, está ajeitando suas roupas. Ela não olha para ele, nunca. Aguarda que ele bata a porta para ficar bem encolhida e chorar um pouco.

Victoire acorda vagarosamente. De manhã, quando seu corpo ainda entorpecido de sono se espreguiça debaixo dos lençóis de linho, ela procura sob o travesseiro o pequeno sachê de seda que envolve delicadamente a lavanda colhida no ano anterior. Victoire gosta que cada novo dia comece com uma longa inspiração desse perfume tranquilizador.

Pela luz que atravessa as janelas e as pesadas cortinas de tafetá, imagina que sejam nove horas. Huguette não vai demorar para trazer o café da manhã. Ela fecha os olhos e se deleita mais um pouco com esse momento que antecede a agitação do dia. Aproxima o sachê perfumado das narinas, respira diversas vezes, então o recoloca depressa debaixo do travesseiro quando ouve os passos de Huguette ecoarem no corredor. Instantes depois, feitas as saudações habituais, a bandeja é colocada sobre sua cama. O chá está fumegando, as fatias de pão torrado repousam em um cesto de tecido com tampa para preservar, por algum tempo mais, o calor volátil.

Huguette se agita no quarto, abre as janelas e as cortinas, dá algumas notícias:

— Monsieur está em seu gabinete.

A mesma frase todas as manhãs. E onde mais ele poderia estar a não ser no gabinete?, pensa Victoire.

Faz cinco anos que está casada com Anselme, e todos os dias — seu pensamento se detém no "todos os dias" —, inclusive no domingo, ele não consegue deixar de descer até o térreo da casa para se afundar nos registros de heranças, de casamentos, que invadem seu escritório. Todos aqueles contratos que, segundo Victoire, governam sua vida de uma forma absurda. "Vou dar só uma olhadinha e já volto!", responde Anselme incansavelmente quando ela tenta protestar contra o espaço ocupado por aquela papelada. Uma parede de papéis entre ele e os outros.

Ela é tirada de seu devaneio por Huguette, que continua:
— Permita-me lembrá-la que a senhora deve participar do almoço de caridade do hospital.
— Obrigada, Huguette, eu tinha esquecido totalmente.

O dia de Victoire está arruinado num instante. No início do casamento, ela gostava de participar das ações de caridade, principalmente das visitas ao hospital. Seu marido, dando continuidade à tradição das gerações anteriores, doava um cheque generoso no início de cada ano. Isso lhes rendia agradecimentos calorosos, a estima pública e o privilégio de frequentar as reuniões trimestrais das esposas dos benfeitores. Como Victoire sentira-se orgulhosa nas primeiras vezes. Ela pensava durante vários dias no traje que iria vestir. Simulava diante do espelho as mímicas que faria quando se dirigisse à esposa do diretor do estabelecimento. Humildade nas palavras, isso era óbvio, mas também segurança, pois não era ela a madame de Boisvaillant, a esposa do tabelião? Quantas vezes, logo depois de casada, ela não repetiu seu novo nome, aquela nova identidade que a deixava fascinada? Escrevia infinitamente em uma folha: *Victoire de Champfleuri, esposa de Boisvaillant*. Como era bonito, como soava bem, mas como isso a incomodava hoje.

— Que vestido devo preparar, madame?

— Não sei, Huguette...

Victoire sopra sobre a xícara de chá quente, bebe alguns goles antes de acrescentar:

— Pode ser o lilás que eu usei esses dias, mas volte mais tarde para me ajudar...

— Muito bem, madame.

Huguette escancara a janela. O calor de junho entra com violência. Victoire empurra a bandeja no momento em que a camareira sai do quarto. Huguette é mais do que uma camareira. Ela também é uma cozinheira, uma empregada de confiança, ou ainda melhor: uma verdadeira governanta.

Quando Victoire casou, Huguette já trabalhava para Anselme havia muitos anos, desde sempre, uma vez que cuidara dele quando era criança, ainda viviam todos no casarão da família. Mudara-se com ele para a cidade, quando do seu primeiro casamento. Levara tempo para se acostumar com os ruídos, com as ruas estreitas de Saint-Ferreux-sur-Cher, mas como Anselme propusera que ela e Pierre fossem morar na casa do jardim, ela tinha aceitado. Como poderia ter recusado, se o conhecia desde o nascimento?

Victoire havia entrado em uma casa impecavelmente organizada. No início, teve dificuldade para dormir naquela cama de casal sabendo que outra estivera deitada ali, inclusive morrera ali, mas ela não tinha deixado uma criança, e Anselme tratou logo de substituí-la. Huguette percebeu rápido que Victoire a deixaria segurar as rédeas do lar. Recebeu-a, portanto, de braços abertos e, apesar do leve desdém que aparecia em suas palavras, ela tratava a nova madame de Boisvaillant com simpatia. Cada uma ficava no seu lugar, cumprindo seu papel com perfeição.

Victoire não bebe mais o chá, não come as torradas preparadas com esmero. As visitas ao hospital a deixam enjoada. Passar entre os leitos e sorrir, compadecer-se na frente dos pacientes, perguntar como estão, parecer interessada. O que ela odeia mais do que tudo são visitas às jovens parturientes. Não basta ter que ficar extasiada diante da pele enrugada dos bebezinhos, aguentar os gritos ensurdecedores, é preciso também, e sobretudo, ficar escutando interminavelmente os comentários das esposas ricas sobre as próprias proles. Todos bem-nascidos, cada um mais forte que o outro, e sempre a mesma pergunta que surge:

— E então, madame de Boisvaillant, o que a senhora está esperando para ter um filho? Essa criançada não a deixa com vontade?

Tão logo pensa nisso, Victoire se esconde debaixo do lençol, derrubando com um único golpe todo o conteúdo da bandeja.

Victoire toca a campainha com todas as suas forças. Instantes depois, Huguette e Céleste entram no quarto. Victoire está em pé e, enquanto olha pela janela, belisca nervosamente o lóbulo da orelha.

Céleste recolhe o prato e a xícara caídos no chão. Huguette a apressa:

— Vamos logo com isso, e troque os lençóis!

Céleste obedece às ordens o mais rápido que pode. Enquanto está ocupada, Huguette prepara o traje lilás.

Victoire fica calada e continua a apertar a orelha. Que estupidez ter derrubado tudo! Não tem nada que eu seja capaz de controlar?

Huguette começa a amarrar seu espartilho.

Como o jardim está florido, suntuoso, como ela gostaria de correr por ali e se embriagar com a carícia do vento em seu rosto, em sua boca. Victoire interrompe seus pensamentos para dizer: "Aperte mais forte. Não comi nada esta manhã, então alguma coisa vai ter que me sustentar".

Diz isso de um jeito distraído, quase inaudível, e não consegue conter um pequeno gemido quando o punho vigoroso de Huguette dá um puxão no laço que a aperta.

— A senhora vai sentir calor no hospital, madame.

Victoire dá de ombros.

Huguette diz para si mesma que ser empregada tem ao menos uma vantagem: não ter a obrigação de usar esses espartilhos ridículos. Além disso, a madame tem sorte de ter a cintura tão fina, ela pensa. Para uma mulher robusta como eu, seria preciso apertar, e ainda apertar um pouco mais, para chegar a um resultado convincente.

Céleste não pensa em nada. Acontece muito raramente de estar no quarto de Victoire na presença dela. Está confusa porque, em geral, só entra ali para fazer a limpeza. De canto de olho, observa a maneira que Huguette amarra o espartilho. Nunca tinha visto aquilo antes. Vê o corpo de Victoire afinando, se aprumando. Acha isso ao mesmo tempo estranho e bonito.

— Está sonhando, Céleste? Vamos logo com isso!

Huguette a repreende, então ela segura os lençóis entre os braços e sai afobada do quarto. Victoire sequer percebeu sua presença.

Poucas horas depois, Pierre aproxima a caleche do patamar da casa. Victoire está pronta, ela desce os degraus. Sua silhueta ondula sobre a pedra calcária. Para se proteger do sol, complementou o traje com um grande chapéu de palha adornado com flores de tecido combinando com o vestido e com a sombrinha. Pierre a cumprimenta com um aceno de cabeça.

Ficou surdo e mudo depois que uma bomba explodiu perto dele no final da guerra, em janeiro de 1871. Nunca se soube o que realmente aconteceu, mas, desde aquele dia, há mais de trinta e sete anos, ele não emitiu um único som. Noivara com Huguette antes de ser convocado para o combate. Quando o viu voltar sem voz, Huguette hesitou. E quando percebeu que ele nunca mais ouviria o som da sua voz, duvidou terrivelmente. Pierre fitou Huguette, que o reencontrava mutilado. Se a guerra o havia privado da audição e da fala, também o ensinara a observar. Ele viu, dentro da caixa torácica daquela jovem, o coração disparar, sem saber para que lado ir, e então se acalmar. Depois do momento de pânico, Huguette pensou que sempre poderia falar pelos dois, e que uma casa silenciosa seria bem mais agradável para se viver do que uma muito barulhenta. Ela não o deixaria lá, apesar de tudo! Então abriu os braços e eles se casaram. Trinta e sete anos de uma felicidade sem abalos, sem qualquer som, durante os quais ela foi pouco a pouco entendendo os resmungos que ele usava como palavras. E quando Pierre acordava sobressaltado, transpirando toda a água do corpo, e se agarrava nela, Huguette sussurrava: "Você é meu marido e minha criança, e eu amo você". Ela sabia que, apesar da noite que se fizera nele, as palavras encontrariam seu caminho, e eles voltavam a dormir.

Ambos trabalhavam para a família Boisvaillant. Pierre era tanto jardineiro como cocheiro. Durante a guerra, fora designado para o mesmo regimento que o pai de Anselme. Se um voltou surdo e mudo, o outro tinha ficado por lá. Anselme, que tinha apenas alguns meses, não teve tempo de conhecer o pai, e se apegou ao jardineiro como o homem que estivera ao lado do desaparecido, que havia conversado com ele. E mesmo que Pierre não pudesse lhe contar nada, o fato de estarem próximos bastava a Anselme.

Pierre abre a portinhola. Victoire, depois de subir com agilidade no estribo, se acomoda na caleche. Ela gosta desse ambiente confinado que cheira a couro e a cavalo. Gosta de se deixar levar pelo ritmo dos animais e dos imprevistos do caminho. Seu mau humor se dissipa durante o trajeto.

Essa visita ao hospital é a última antes do verão e da partida deles para o campo. Mudarão de ar, e isso lhe fará bem. Durante o mês de agosto, talvez Anselme se esqueça de seus documentos. Quem sabe?

Fica cada vez mais quente na caleche. Ela não tinha imaginado que o sol bateria tão forte sobre a capota preta do veículo. De repente, sente-se sufocada no espartilho, mal consegue respirar. Felizmente, eles chegam. Pierre a ajuda a desembarcar. Mas, no momento em que seu pé encosta no chão, Victoire desaba, desmaiada nos braços do cocheiro.

Quando Victoire volta a si, está deitada em um dos leitos do hospital. O primeiro rosto que vê é o do médico que geralmente conduz as visitas. Pierre, com a boina na mão, está logo atrás dele.

— Madame de Boisvaillant, a senhora teve um desmaio. — E o médico continua: — Com certeza do calor...

Victoire abana a cabeça, olha em volta, respira o cheiro ácido do lugar.

— Acho melhor eu voltar para casa. Transmita minhas desculpas a estas senhoras...

Pierre se aproxima para ajudá-la. Ela se apoia em seu braço e cumprimenta rapidamente o médico. Sair daqui o quanto antes. Ela ainda o escuta à distância pedindo que agradeça ao marido por sua benevolência para com a ciência e com os que lutam, dia e noite, contra as doenças. A voz se perde no labirinto dos corredores sonoros.

Durante a viagem de volta, o espírito de Victoire permanece absolutamente vazio, nem os solavancos da caleche, nem o perfume do couro a tiram de seu torpor. Como ela se sentia bem desmaiada, a cabeça em outro lugar, tão longe dali. Para onde ela havia escapado? Esse vazio combina perfeitamente com ela. Gosta de acreditar que desse modo ela abre espaço para um mundo inteiro. Ainda precisa definir qual mundo, mas com certeza isso vai acontecer um dia.

Menos de duas horas depois da partida, o veículo estaciona no mesmo local de onde tinha saído. O patamar e seus degraus, a pedra branca e os reflexos dourados, as telhas de ardósia bem alinhadas, a perfeita mansão burguesa em que Victoire com muita rapidez se sentiu à vontade.

Huguette corre para a entrada:

— O que houve, madame? A senhora voltou bem antes do previsto!

— Eu desmaiei no hospital. Achei melhor voltar.

— A senhora tem toda a razão! Vou preparar um lanche.

— Boa ideia, estarei na biblioteca.

Na biblioteca, Céleste está espanando os objetos que Victoire dispôs com esmero sobre o piano de cauda. Com delicadeza, ela levanta e coloca de volta cada bibelô. Absorvida em sua tarefa, não ouve a madame se acomodar em um dos divãs, e quase quebra a pequena porcelana que está acariciando com o espanador quando Victoire lhe diz:

— Bom dia, Céleste.

A empregada leva um susto e balbucia:

— Bom dia, madame. Me desculpe, eu não tinha ouvido a senhora entrar...

Ela imediatamente guarda seus utensílios e, depois de acenar com a cabeça, deixa o ambiente. *Por que Céleste ainda fica tão apavorada ao me ver?*, se pergunta Victoire. De todo modo, ela parece estar fazendo bem o seu trabalho, e Huguette nunca reclamou. Melhor uma empregada que peca por excesso de discrição do que o contrário.

Huguette coloca sobre a mesinha de centro um bule e algumas frutas.

— Preparei chá de camomila para a senhora. Isso cura tudo.

— Obrigada, Huguette.

Victoire levantou e pegou um livro da prateleira: *Madame Bovary*. Foi o primeiro livro que leu após o casamento. Sua mãe sempre a proibira de lê-lo, considerava-o totalmente impróprio para uma jovem. Então ela se apressou para comprá-lo, logo que casou, e o devorou. Mesmo que tivesse achado aquela Bovary um pouco boba, divertira-se acompanhando sua depravação. Quando havia iniciado a leitura, na sala, Anselme olhara para ela de olhos arregalados: "Como é que você consegue ler essas besteiras?". E acrescentou: "Esse livro é um amontoado de merda!". Ela fica vermelha de novo. Sim, ele tinha dito exatamente aquilo. Victoire folheia o livro. Pobre Emma, ela pensa. Comigo essas coisas nunca aconteceriam. Minha vida tem mais estabilidade, mais sentido.

Seus olhos passeiam de uma página a outra e estacam, aturdidos, na seguinte passagem:

Antes de se casar, ela pensara que tinha amor; mas como a felicidade que deveria ter resultado desse amor não havia chegado, ela só podia ter se enganado, pensava. E Emma procurava saber o que exatamente significavam, na vida, as palavras felicidade, paixão e embriaguez, que tinham parecido tão bonitas nos livros.

Um arrepio estranho percorre sua espinha. Fecha bruscamente o livro. Anselme estava certo. É ele quem chega, aliás, alertado por Huguette.

— Acabaram de me avisar que você passou mal.

— Não foi nada, é o calor, sem dúvida...

— Você precisa descansar, cuidar mais de você!

Victoire se pergunta o que há de tão exaustivo em sua vida que exija descanso. Nada, definitivamente nada.

— Preciso voltar para o gabinete. Tenho alguns trabalhos urgentes. Por que você não vai para o campo mais cedo? Eu encontro você lá.

— Sim, talvez...

Sem esperar pela resposta da esposa, Anselme sai. Ele tem carinho por ela, considera-a um objeto delicado que é preciso encher de mimos. Frágil demais para procriar, parece. Deve ser essa a maldição dos Boisvaillant. No entanto, ele nasceu. Seu pai conseguiu fazer um filho, é verdade que um só. A duras penas, depois de anos de casamento. Além disso, conheceu a mãe já envelhecida pela viuvez e pelo parto quase simultâneos.

No vestíbulo que o leva ao gabinete, Anselme cruza com Céleste, que baixa imediatamente os olhos. Ele não a cumprimenta, ela não existe. A empregada ganha vida apenas por breves instantes. A cada três meses, mais ou menos, quando um desejo irreprimível o empurra escada acima, fazendo-o subir de quatro em quatro os degraus que levam até o quartinho, até a pequena cama de ferro, para apertar e puxar aquele coque até o gozo.

Durante as semanas seguintes, Victoire descansa. Huguette cuida dela com atenção e, quando se entedia demais, Pierre a leva para dar uma volta de caleche na zona rural próxima dali, para "ver o milagre do verão acontecendo", como ela diz ao marido durante os jantares a sós na varanda.

Depois vêm os preparativos para a partida do mês de agosto, rumo à casa de madame de Boisvaillant mãe. Poderiam ficar por lá também em setembro, mas Anselme sempre abrevia suas férias, alegando ter uma pilha de negócios para tratar, daqueles que não podem esperar. Ele geralmente acrescenta: "A morte nunca avisa, devo estar disponível desde o primeiro momento para os herdeiros. Entende?". Sem que ninguém acredite, e sempre dizendo que no próximo verão ficarão lá por mais tempo, todos os anos, em 1º de setembro, eles tomam a estrada no sentido contrário, rumo a Saint-Ferreux-sur-Cher.

Victoire se dá bem com sua sogra Henriette. Nos primeiros tempos, a acolhida foi exageradamente calorosa. Ela dizia "minha filha" para cá, "minha filha" para lá, e Victoire foi se tranquilizando com aquela entonação carinhosa. Com o passar dos anos, Henriette foi se mostrando mais rabugenta. Victoire não tinha nenhuma dúvida de que isso se ligava ao fato dela ainda não ter conseguido dar um herdeiro a Anselme.

Henriette tinha até mesmo tentado, um dia, tocar no assunto com a nora: "Minha querida, você me parece muito pálida. Está tudo bem com você? Tudo está funcionando bem?". Com bastante ênfase no "funcionando", ela desvelava o abismo que se escondia ali. E Victoire o via com crueza. Surgiam, diante de seus olhos, sua desastrosa noite de núpcias, as tentativas desordenadas e abreviadas de Anselme, aquele nojo que a invadia a cada vez. Como podia uma criança nascer daquele emaranhado imundo? Obviamente, o olhar da sogra a deixava terrivelmente culpada. Estava convencida de que essa incapacidade era dela. A suposta fertilidade de Anselme o deixava totalmente fora de questão. O que ele tinha que só escolhia inférteis?, perguntava-se Henriette, que havia insistido que ele, mal terminado o luto, encontrasse uma nova esposa. Então Anselme publicara um anúncio no jornal Le Chasseur Français e tudo acabara acontecendo muito rápido. A resposta dos pais de Victoire, desesperados com a ideia de encontrar marido para suas sete filhas e contentes com aquela ótima oportunidade para a quarta delas. "Você vai ver", disseram, "ele tem uma posição muito boa, ele é tabelião". E nada sobre o emaranhado imundo, nem uma palavra. Ela se habituaria, pensavam eles. Ela ainda não se habituou.

Por seu lado, Céleste, depois de ter arrumado a casa como se ela fosse ser abandonada para sempre, toma o caminho de volta para a granja de seus pais, deixando Huguette e Pierre sozinhos na propriedade, em sua casa no fundo do jardim. Todo verão ela volta para lá, quando monsieur e madame não estão. Pierre a acompanha até o vilarejo mais próximo da granja, onde seu pai a espera com a carroça do vizinho. Têm um encontro marcado todo 1º de agosto ao meio-dia.

Céleste não tem qualquer nostalgia, vai para a granja porque não tem nenhum outro lugar para ir. Nem dos pais, nem dos irmãos e irmãs, ela não sente falta de ninguém. Sua mãe passou anos dando à luz sem realmente entender de onde vinham todas aquelas crianças. Quando segurava nos braços o recém-nascido, ela parecia incrédula, e essa incredulidade nunca a deixava. Mesmo quando cresciam, ela parecia estar se perguntando quem de fato eles eram. Céleste está convencida de que a mãe nunca notou sua presença em meio a tantos outros. Na granja, piava-se, crescia-se, criava-se do jeito que dava.

Agora restam apenas os dois últimos, seu pai e sua mãe, com a barriga lisa, finalmente vazia. Quando Céleste a encontra, depois de um ano ausente, elas se abraçam mecanicamente. A mãe pergunta sobre as novidades da cidade para ter certeza de que não se enganou e que essa que acaba de entrar é mesmo Céleste, que nasceu... Nesse ponto, a mãe pensa profundamente, agarrando-se às estações, ao corpo de sua filha, a qualquer coisa que possa lhe dar alguma pista. Ela nasceu antes ou depois de Josette? Céleste, vendo o desespero nos olhos da mãe, anuncia a cada visita sua idade. Faz isso tão logo chega:

— Mãe, eu fiz dezessete anos na primavera.

— Mas já? Meu Deus, o tempo voa...

A mãe observa essa criança que volta para ela, nota uma mudança dificilmente perceptível no seu jeito. E, no entanto, seu pensamento para por aí. Ela, que carregou a vida consigo tantas e tantas vezes, poderia desvendar o mistério, mas não o faz.

Céleste irá ajudar o pai na roça. Ela transpirará, extenuada pelo trabalho e pelo calor, às vezes vomitará à beira da estrada. Entrará em sua clareira para se sentar em um tronco, perguntando-se por que está tão comovida com a visão das samambaias e seu verde tão suave, por que se sente à espreita da vida, sempre com lágrimas nos olhos. Instantes fugazes de felicidade nos quais Céleste, sem perceber, entra na dança da natureza, dando-lhe corpo.

No dia 1º de setembro, eles estão de volta à propriedade. Cada um retoma seu posto. Anselme em seu gabinete, Victoire em seus pensamentos, os empregados em seus afazeres.

No domingo, vão todos à missa. Quando o tempo permite, vão até a igreja caminhando ao longo das margens do Rio Cher, depois atravessando a ponte. Victoire e Anselme, os primeiros do grupo, vão de braços dados. Atrás deles, Huguette e Pierre, e com frequência mais recuada: Céleste. Victoire gosta desses momentos em que estão juntos. Parece-lhe um sinal de generosidade mostrar-se assim tão próxima de seus empregados, pois se trata exatamente disso: não apenas ser, mas exibir. Ela tinha insistido com Anselme: "Vamos lá, vamos ser modernos! Já que vivemos sob o mesmo teto, por que não irmos todos juntos à missa, como uma única família?". Ele, por fim, aceitou.

O padre Roger conduz sua paróquia com mão de ferro. A intransigência de seus sermões e a alta estima que tem de si próprio fazem com que seja temido por todos. Victoire, ao se instalar em Saint-Ferreux após o casamento, teve que se despedir do padre Gabriel, seu confessor desde a infância. Foi certamente o golpe mais violento que sofreu ao se afastar de sua família. Ela reverenciava o olhar gentil e a compaixão do padre, ele era aquele que sabia tudo. Quando, uma vez por mês, ela ia encontrá-lo à sombra do confessionário, chegava a inventar pecados para ficar só mais um pouquinho naquele casulo reconfortante. Quando encontrou o olhar inquisitivo do padre Roger, seu sangue congelou. Ela sabia que não inventaria mais nada e que seria julgada severamente. Continuou a se confessar, mais por obrigação do que por desejo. Nos últimos tempos, chegou até a falar dessa criança que não vinha, e o cura se mostrou surpreendentemente bondoso: "Vai chegar o momento, não tenha medo. Deus olha por você", disse ele. Pela primeira vez, Victoire agradeceu com sinceridade.

De todo esse pequeno grupo que caminha ao longo do Cher, a mais religiosa é Céleste. Toda a sua fé recai sobre a Virgem. Céleste só tem olhos para seu drapeado azul e, sempre que pode, acende uma vela ao pé da escultura de gesso da igreja. Com as pontas dos dedos, ela acaricia o longo manto virginal que, em alguns pontos, já começa a rachar. No coração da jovem, ele é a própria quintessência do amor e da piedade. São esses sentimentos que lhe dão a força para não duvidar. Todas as manhãs, Céleste começa seu dia com essas palavras: *Santa Maria, mãe do mundo, cuide de nós, cuide de mim...* E mais nada, nem uma oração aprendida, apenas essas palavras para aquela que dá aos outros seu amor inalterável. *Santa Maria, mãe do mundo, cuide de nós, cuide de mim...* Como uma fortaleza inabalável.

Victoire e Anselme estão sentados nas primeiras fileiras, trocando saudações com todos. A grande aventura social da missa começa. Os empregados ficam no fundo. Silêncio total. Estão todos concentrados e tementes. O órgão ressoa em sua caixa de madeira, precedendo as leituras, precedendo o sermão. Hoje, o padre Roger culpa o corpo. Ataca da seguinte maneira:

— Irmãos, privado de sua alma, o corpo é um cadáver que vaga entre os vivos. Somente uma alma nutrida pela fé pode salvar esse corpo de sua decrepitude fatal, de seus vícios, de seus pecados. Não vos deixeis levar pela tentação vil! Pelo contrário, venerai suas almas, alimentai-as com orações, com pensamentos nobres — ele tropeça na palavra seguinte — e amor.

Victoire sente um arrepio. A palavra "amor" soa tão inapropriada naquela boca que fica desprovida de seu significado. Do que ele está falando exatamente? De repente, ela promete que vai amar mais Anselme, que vai se forçar a isso. Não ouve mais o sermão e enumera mentalmente suas resoluções. Retomar o controle da casa. Talvez tudo comece pela casa. Sentir-se mais implicada. Fazer geleias. Sim, é isso. À tarde, ela fará geleia de figo. Pierre acabou de colhê-los no jardim. Manter a ordem do lar é o começo de tudo, como sua mãe sempre diz. O coração de Victoire aperta, porque ela sabe muito bem que a única pessoa que ela poderia amar é uma criança. Por que Deus não lhe concede essa alegria? Victoire belisca nervosamente o lóbulo da orelha.

Terminado o sermão, todos rezam em silêncio.

No caminho de volta, Victoire anuncia a Huguette seu desejo de geleia. Esta última já se habituou aos caprichos da patroa, que, de vez em quando, se orgulha de ser uma perfeita dona de casa.

E quando, à tarde, Anselme entra na cozinha, onde sua esposa, usando um suntuoso avental bordado, mexe a massa perfumada da geleia no grande tacho de cobre, ele exclama:

— Minha querida, como você é linda!

De repente ele a quer. A intensidade desse desejo o surpreende e, num arroubo de generosidade que ele mais tarde descreverá como loucura, continua:

— Vamos encomendar um retrato seu a esse famoso pintor de Tours. Você é tão linda, minha esposinha.

Victoire ruboriza de prazer.

Nessa mesma noite, Anselme decide ir para o leito conjugal. Na maioria das vezes, ele dorme em seu escritório, contíguo ao quarto. Gosta de ficar só, de poder folhear o jornal, de fumar seu cachimbo a qualquer momento sem ter de dar satisfações e, acima de tudo, de desfrutar do silêncio. Victoire está sempre falando pelos cotovelos. Ele nem faz ideia de que ela se vale desse falatório para adiar o momento do emaranhado imundo, como ela chama. Uma parede de palavras, uma parede de som para se proteger da cópula. Às vezes, ela consegue. Aborrece-o com tantos disparates que ele bate em retirada, seus passos desiludidos de volta para o escritório. Nessa noite ela não vai escapar, falando ou não.

Ele entra no quarto, ela está sentada diante da penteadeira e escova os cabelos várias e várias vezes. Ganhar tempo. Fica arrepiada quando ele se aproxima para acariciar sua nuca.

— O que achou da minha ideia do quadro? Você é tão linda.

O gesto em seu pescoço é insistente.

— Ótima ideia! Mas por que gastar tanto dinheiro se poderíamos chamar um fotógrafo? É isso que se faz agora.

Ela escova, escova, escova incansavelmente.

— Uma pintura atravessa o tempo. Essas fotografias, ainda não sabemos como elas vão envelhecer. E além do mais, eu quero que o meu filho veja um quadro da mãe dele. Um retrato em todo o seu esplendor.

— Que filho?

—Aquele que virá.

— E se não vier?

O olhar de Victoire fica escuro. Por que ele está falando sobre isso? Anselme percebe que a conversa está tomando um péssimo rumo e que, se for adiante, corre o risco de arruinar sua diversão.

— Seu cabelo está perfeitamente penteado. Vamos deitar!

Estende a mão para ela. Quando se levanta, ela derruba o banquinho de mogno. Com um gesto nervoso, recolhe-o. Ele olha para ela. Sob o robe de seda rosa amarrado na cintura, uma camisola adornada com rendas e, mais abaixo, uma coisinha com alças cujo nome ele não lembra. Conhece todas essas espessuras. É preciso lidar com elas. Sua esposa nunca se despe completamente. Ele nunca a viu nua, nunca a tocou completamente. Encolhe os ombros. Irá direto ao ponto, como sempre. E já que o ponto fica entre as coxas, e ela reluta em afastá-las, ele precisa sempre forçar um pouco. E quando, finalmente, em meio aos lençóis, à seda, às rendas, aos babados, à coisinha sem nome levantada até o umbigo, ele consegue penetrá-la, tudo acontece muito rápido. Ele goza imediatamente, como para se desculpar pela intrusão, para que cesse o silêncio no qual ela de repente se emparedou, para que ela retome seu tão reconfortante falatório.

Nessa noite é tudo igual. Seus corpos amassam o *C* de Champfleuri e o *B* de Boisvaillant entrelaçados, pacientemente bordados quando ela fez seu enxoval. Uma esperança de amor que foi aos poucos se transformando em desilusão.

Depois de possuí-la, Anselme se levanta depressa. Não gosta de ficar ali, esperando que o silêncio se esgote. Então ele a beija na testa e, enquanto se dirige para o escritório, deseja-lhe uma boa noite.

— Bom descanso, minha querida. Muito descanso...

Ela agradece, arruma a camisola com um único gesto e adormece imediatamente.

Na manhã seguinte, Anselme acorda por volta das cinco. Quando abre as janelas, a noite ainda está lá. Veste-se rápido, quer aproveitar o amanhecer, dar um passeio. Por que não ir ver o sol nascer no Cher? Ele adora esse rio e seus reflexos cambiantes. Ao atravessar o jardim, percebe que há um pouco de luz na casa de Pierre e Huguette. Anselme se aproxima e vê Pierre sentado à mesa, um copo de destilado na mão.

Pierre passa muitas noites sem dormir, correndo desesperado atrás do sono e colhendo apenas a luz ofuscante e estrondosa da bomba. Não entende o motivo de não ter perdido a visão. Ele se lembra dos minutos imediatamente anteriores à detonação. A agitação dos soldados, seu nervosismo e, em seguida, nos segundos que precedem a explosão, a espera que se instala, um instinto animal que os alerta. Não sabem de quê. Algo vai acontecer. É tarde demais para se mover, tarde demais para se esconder. Então, ficar imóvel e se fingir de morto.

Pierre tem sorte, ele não foi atingido, mas quando abre os olhos após a deflagração e entende que o peso que esmaga seu peito não é o de seu próprio cadáver, mas o do soldado Dumoulin, ele grita. Quando vê que está segurando pedaços de cérebro na mão, além de fragmentos de crânio explodido, Pierre berra para se libertar, para não ver mais. Ele berra pela morte, uma última vez. Desde então, não ouve nada, não diz nada. Fez-se um silêncio interior em seu corpo, como uma cratera. E à noite, quando não está à mesa bebendo seu destilado, ele aperta Huguette contra si, praguejando por ainda estar vivo.

Anselme bate suavemente nos ladrilhos. Pierre não reage. "Mas que imbecil! Toda vez eu esqueço que ele é surdo!". Anselme fica esperando que o olhar de Pierre se dirija para a janela. Fica fazendo gestos para tentar chamar sua atenção, e os olhos enevoados de Pierre acabam por se voltar para ele. O homem se precipita imediatamente para a porta, deixa que Anselme entre e se instale como se estivesse em casa. Huguette ainda está dormindo. Na quietude da casa, Pierre prepara um café. Em seguida, estão ambos sentados. Um com um copo, o outro com uma xícara. Sendo surdo e mudo, Pierre aprendeu perfeitamente a ler os lábios.

No primeiro gole, Anselme se queima. No segundo, começa a falar.

— Eu adoraria conversar sobre meu pai. Você é o único que pode responder às minhas perguntas... Ele falava de mim?

Pierre balança a cabeça.

— De verdade? Com frequência?

Pierre, apesar do estupor causado pelo álcool, balança a cabeça com toda a convicção que lhe é possível.

— É bom, é bom eu saber disso. Porque, veja só, eu encontrei uma carta...

E, de uma só vez, uma onda de soluços desce pela garganta de Anselme. Pierre percebe isso na repentina contração de seus lábios. Por discrição, ele baixa os olhos e bebe um gole de seu destilado.

Anselme continua:

— Uma carta que eu encontrei neste verão, dentro de um dos livros da biblioteca da minha mãe. Que imprudência dela não tê-la queimado... Merda!

Bate na mesa com o punho. A xícara de café vira, mas nenhum dos dois homens se levanta para limpar. Anselme se serve de novo e se queima mais uma vez:

— Merda, está quente...

Pierre lhe alcança seu copo. Anselme toma um gole.

— Isso queima também...

Ele espera que o líquido tenha percorrido seu esôfago para continuar:

— Não tinha nada realmente dito na carta, mas alguma coisa me deixou em dúvida. Um pressentimento. Veja bem, o que é uma loucura é que eu passo meus dias metido na vida de outras pessoas, nos segredos delas, às vezes no que elas têm de mais feio. Com o tempo, aprendi a olhar com distanciamento. E então, quando isso acontece comigo, eu levo na cara. É uma carta do meu pai para minha mãe, uma carta do front, talvez não muito diferente das outras. Ele dá notícias e depois pergunta como estão as coisas em casa...

Os lábios de Anselme não se mexem mais. Ele se vê segurando a carta nas mãos, revive a perturbação em que ela o colocou.

— Como posso contar, Pierre, para ser o mais justo possível? Ele escreveu algo como: Nós tomamos a decisão correta. Agora que o bebê nasceu, estou tranquilo. Aconteça o que acontecer comigo, você não está mais sozinha, e isso me reconforta.

Anselme fita Pierre:

— Que decisão era essa?

Anselme pega o copo de Pierre e bebe tudo de uma só vez. Exclama de repente:

— Se Victoire nos visse!

E ri, e Pierre também, à sua maneira, erguendo os ombros e dando um grunhido animal. Anselme não conta tudo o que leu, não consegue fazê-lo. É cedo demais. Também sabe que se pode ficar cego de tanto remexer a poeira, então ele a deixa baixar.

Levanta-se:

— Bom, vou deixar você em paz. Um dia desses nós podíamos sair para caçar. Os patos estão lindos nesta época. Huguette só vai ter o trabalho de depená-los!

Eles apertam as mãos e Anselme volta para casa, abandonando o projeto de caminhada. Se acomoda na escuridão da biblioteca e aguarda que Huguette apareça e prepare seu café da manhã.

É mais ou menos nesse momento que Céleste abre os olhos. *Santa Maria, mãe do mundo, cuide de nós, cuide de mim...* Ela fica mais alguns instantes debaixo do cobertor. Passa a mão sobre a barriga, que está inchada. Não se sente como antes. Fica se perguntando se não pegou alguma doença. Ela não menstrua já faz tempo. Deve ter algo a ver com essa doença. Felizmente, isso não atrapalha suas tarefas. Ela entendeu ao entrar nessa casa que era necessário ser discreta e fazer o que mandavam. Principalmente não tomar nenhuma iniciativa. É Huguette quem comanda. O que mais a deixa orgulhosa é que ninguém tenha reclamado dela. Às vezes até recebe alguns elogios. Entrou em uma boa casa. É a Virgem quem a protege. Ela sabe disso. Desde sempre conversa com ela, e desde sempre tem sorte.

Quando chega no térreo, Huguette já está na cozinha.

— Hoje monsieur levantou cedo. Ele está na biblioteca. Temos que nos apressar para levar o café da manhã. Estamos quase sem lenha para o fogão. Vá buscar, por favor!

— Já estou indo.

— Pegue alguns ovos também.

— Está bem.

Céleste se apressa. Quando volta, Huguette já está com tudo preparado. Ela carrega uma bandeja com o pão, o café, a manteiga. Teve o cuidado de colocar num potinho a geleia de figo.

Servido o café da manhã, as duas empregadas se acomodam na grande mesa de madeira da cozinha para tomar uma tigela de caldo quente, onde elas esfarelam o pão dormido.

Os dias passam, as semanas também, e a vida encontra um lugar na barriga de Céleste. O bebê dá cotoveladas, se alonga. *Santa Maria, mãe do mundo, cuide de nós, cuide de mim...* Certa manhã, Céleste toca sua barriga, já não pode evitar essa verdade que está crescendo. Ela sussurra:

— Cuide de mim, cuide de nós...

Embora jamais tivesse pensado sobre isso, agora está obcecada pelo seu corpo. Esse corpo que lhe pregou uma peça sem que ela percebesse. Ela se agacha no quarto, toca várias e várias vezes na barriga, fecha os olhos.

Gostaria de estar na sua clareira, cavar um buraco e colocar delicadamente o pedacinho da vida, cobri-lo com terra para mantê-lo aquecido. Lá ele estaria melhor. Então ela se deitaria sobre aquele morrinho. *Santa Maria, mãe do mundo, cuide de nós, cuide de mim...* E dormiriam por bastante tempo, os dois juntos lá, para sempre.

Ela pressente as consequências desastrosas daquela gestação. Fragmentos de histórias de empregadas grávidas e demitidas lhe vêm à cabeça. Desaba no chão do quarto. Nunca tinha chorado desse jeito. Mergulha num sofrimento infinito. O vestido, o avental ainda escondem a verdade que está crescendo, mas por quanto tempo?

Huguette deve estar impaciente na cozinha. Precisa descer, mas não consegue. Ela chora, continua chorando. Gostaria de correr para sua mãe, de se aconchegar nela, de perguntar: "Como foi que você fez isso?". Ajoelha-se, reza com todas as suas forças, oferta à Virgem todas as palavras que lhe vêm e ainda outras mais esquisitas. Seus dedos se entrelaçam com tanta força que as falanges embranquecem. Por fim, Céleste se levanta, ajeita sua roupa e desce para a cozinha. Huguette já está lá. Enquanto se prepara para repreendê-la pelo atraso, ela examina o rosto abatido de Céleste.

— O que é que houve?

Huguette a encara sem entender.

— Está doente?

Céleste não responde, está hesitante. E se contasse para ela? Huguette sempre encontra uma solução. Ela deve saber o que fazer num caso desses. Mas Huguette não teve filhos, talvez ela não saiba...

— Sim, acho que estou doente, não estou me sentindo bem.

— Tem certeza de que não é alguma outra coisa?

O que ela quer dizer com "outra coisa"? Céleste entra em pânico. Vai encontrar uma solução sozinha. Não correr o risco de perder seu emprego, sua casa. Não correr o risco de ser humilhada, de ser enviada de volta para a granja. Isso não.

— Acho que eu peguei um resfriado, e também dormi muito mal.

Céleste sorri e continua:

— Diga o que eu tenho que fazer.

— Menos mal! Assim fico tranquila, porque hoje monsieur e madame vão dar um jantar.

Céleste, nesse dia, trabalha sem parar. A limpeza, a prataria, nada fica de fora. Ela faz tudo isso numa espécie de transe, enquanto sua mente procura uma solução. *Santa Maria, mãe do mundo, me ajude...* Ela vai encontrar. É enquanto lustra a décima segunda colher de sobremesa, a última, que surge a ideia. Uma ideia de gênio, ela pensa.

A solução estava lá, diante de seus olhos. Mais cedo, no andar de cima, ela o viu no quarto de madame: o espartilho. Ela não esqueceu como a cintura diminuía. Só vai precisar ir apertando cada vez mais forte. Madame deve ter vários. Ela vai dar uma olhada no guarda-roupa. Céleste fica eufórica. Esconder a gravidez até o final. Quanto ao parto, ainda vai ver. Cada coisa em seu tempo. E a sorte sorri para ela, Huguette avisa que madame vai sair para fazer compras na cidade.

— Então vou aproveitar para tirar o pó do quarto dela. O que você acha, Huguette?

— Boa ideia!

Céleste se controla para não ir correndo até o quarto. Vai caminhando, como de costume, na ponta dos pés, levando na mão seu espanador e seus panos. Quando fecha a porta atrás de si, o coração começa a bater com força.

Abre o guarda-roupa. Nunca fez isso antes. É Huguette quem cuida das roupas de madame. Ali há caixas, chapéus, casacos, vestidos e, no fundo, os espartilhos. Estão ali. Pega um que está debaixo dos outros. Victoire não deve mais usá-lo.

Céleste, de repente, perde o juízo. Quer experimentá--lo ali, agora. Tira suas roupas, pega o espartilho, fica furiosa quando percebe que se amarra pelas costas. Vai ser complicado colocá-lo todas as manhãs, mas ela o fará, não tem escolha. Nessa agitação, não ouve a maçaneta da porta girando. Madame esqueceu algo e precisou voltar.

Ao entrar, Victoire dá um grito. Não é porque Céleste está nua em seu quarto, cercada de caixas e roupas, mas porque viu a barriga. A barriga e o espartilho.

Victoire fecha a porta atrás de si e se encosta nela. As duas mulheres, petrificadas, se olham.

Alguém se aproxima no corredor, em seguida Huguette bate:

— Está tudo bem, madame?

— Sim, eu torci o tornozelo, mas tudo bem.

Huguette insiste:

— Posso ajudar?

Victoire responde com um tom seco:

— Não, me deixe. Obrigada.

Huguette hesita, depois sai num passo arrastado.

As duas mulheres continuam se olhando. Victoire se recompôs. Céleste está encolhida, numa tentativa desajeitada de esconder a nudez com o espartilho.

Agora Victoire está muito calma.

— Vista sua roupa! Eu não vou contar nada. Ao menos não agora. Dê o fora! E nunca mais se atreva a mexericar nas minhas coisas!

Céleste implora por desculpas:

— Me perdoe, madame, me perdoe! Não me mande embora!

Engasga-se em soluços. Tira o espartilho, procura suas roupas, tropeça.

Victoire está chocada com o corpo de Céleste. Nunca tinha visto uma mulher nua antes. Até que se casasse, sua mãe a proibira de ter um espelho. Para se arrumar, ela tinha apenas um espelhinho pendurado na parede que, por mais que fosse dourado e de boa qualidade, refletia só o seu rosto. Quando adolescente, percebia muito bem que seu corpo estava mudando. Então subia numa cadeira para ver os seios que estavam crescendo.

Durante muito tempo, teve apenas uma imagem fragmentada de si mesma, um mosaico com a ladainha materna de fundo dizendo que o corpo não tinha importância e que só se fazia bom uso dele quando se engravidava. Fora esse mosaico desajeitado que ela montava mentalmente, nunca tinha visto mais ninguém nu. Sua mãe nunca, as empregadas também não. Foi só depois do casamento, quando finalmente pôde exigir um espelho de corpo inteiro no quarto, que ela se viu da cabeça aos pés. Com pudor, primeiro ela abriu as laterais do roupão de seda rosa e, depois, de uma só vez, tirou tudo.

O que descobriu não se parecia em nada com aquilo que havia imaginado. Achou-se magricela, com uma cintura muito fina e uma pelve estreita. Entendeu de repente por que tinha tanta dificuldade de se impor no mundo. Um corpo assim não permitia, não ocupava espaço suficiente. Mas ela tinha ficado chocada principalmente com os pelos pubianos. Nunca os tinha visto de um ângulo que não fosse de cima. A visão do triângulo peludo entre as coxas brancas a enojava. Por que todos esses pelos? Eles encaracolavam e tinham uma cor um pouco mais escura que a dos cabelos. Por Deus, que coisa horrível! Então ela se vestiu a toda velocidade. A partir daí, só usava o espelho para ajeitar as roupas.

Hoje, é outro corpo de mulher que ela está descobrindo. Acha-o mais bonito que o seu. Céleste é bem fornida, robusta, como são as jovens do campo. Ombros e quadris largos, tornozelos grossos, seios pesados. Mas o que magnetiza seu olhar é a barriga arredondada da empregada. Entendeu imediatamente o estado de Céleste. Pergunta-se se toda sua beleza não vem daí, desse florescimento, dessa generosidade que ela não vai conhecer. Victoire tem quase certeza, agora, ela nunca vai engravidar. Vendo a outra se livrar do espartilho, rastejar para juntar as roupas, se esconder com dificuldade e ainda assim continuar bonita, resplandecente, Victoire percebe que não será uma delas.

Céleste se vestiu, guardou o espartilho. Está com os braços caídos, os olhos baixados.

— Faz quanto tempo que você está grávida? E de quem?

A empregada é incapaz de responder às perguntas. Ela cai de joelhos e começa a se derramar em lágrimas. Victoire olha para ela friamente e acrescenta:

— Saia de uma vez! Vou mantê-la informada sobre o que vamos fazer.

Abre a porta e dá passagem para Céleste, que sai correndo.

Victoire está sozinha no quarto, esqueceu completamente as compras que tinha que fazer na cidade. Com um gesto seguro, tira a capelina, depois o casaco, os calçados, desabotoa o vestido, as anáguas, desamarra o espartilho, tira as meias e o resto. Tudo isso leva tempo, mas agora está nua. Está nua e se olha no espelho. Observa seu corpo vazio. Não está surpresa como da primeira vez, não descobre nada de novo. A imagem confirma com crueza o que ela já tinha visto antes: um corpo franzino, seios inúteis, quadris muito estreitos e aquele sexo cabeludo no qual Anselme vem se enfiar. Esse sexo que não lhe oferece nem vida, nem prazer.

Céleste corre no jardim, vai se esconder no labirinto de buxos. Ninguém a encontrará. Os arbustos são da altura de uma pessoa, ali não vão vê-la, ali não vão ouvi-la chorar. Deita à sombra das pequenas folhas, o rosto contra a terra seca. *Santa Maria, mãe do mundo, me deixe sumir, desaparecer aqui...* Ela se afunda em lágrimas, abandonando-se subitamente à tristeza que a invade. Toca na barriga sob o avental, amassa o tecido. Sente-se cheia de um corpo estranho que ela não quer. Sua pele, seus membros, tudo que a envolve, tudo isso que faz com que esteja viva, e sobre o que ela nunca havia pensado, ganha uma dimensão nova, desconhecida, que de repente a mergulha numa confusão total. Nunca tinha tido a sensação de existir realmente e, de uma hora para outra, ela existe em dobro. Esse corpo estranho que cresce nela, por menor que seja, parece ter o poder de arruinar tudo, de fazê-la querer morrer ali, agora.

É Pierre quem a encontra, quem suavemente a sacode. Ela abre os olhos e vê o rosto do homem. Se espanta, se levanta num salto, murmura umas desculpas e, enquanto volta correndo para casa, seca as lágrimas na parte de trás da manga.

Huguette a recebe, irritada:

— Onde você estava? Faz uma hora que estou atrás de você! Nós temos todo um jantar para preparar!

Está ocupada demais para reparar na emoção de Céleste.

— Me desculpe, me desculpe... — responde a jovem, mordendo o interior das bochechas para não se desfazer em lágrimas.

— Vá colocar a mesa! Eles chegam daqui a duas horas.

— Estou indo.

As duas empregadas estão muito ocupadas. Os convidados são os de sempre: Joseph e Odette Vanel, que madame sempre deseja receber com cerimônia. Joseph é amigo de infância de Anselme — eles estudaram juntos. Terminou os estudos de direito na capital, depois abriu seu escritório em Tours. É respeitado em toda a região. Sua obstinação e seu raciocínio rápido lhe renderam grandes realizações. Os empréstimos russos, somados a seus negócios florescentes, fizeram dele o homem mais rico da região, e ele não esconde isso. Anselme, criado sob a reverência a seus ancestrais burgueses, por muito desdenhou o pequeno Joseph Vanel. "A família dele não vale nada", martelava Henriette de Boisvaillant, que, às vezes, tolerava a presença daquela criança em sua casa abastada. Mas Joseph tinha a ambição entranhada no corpo e uma vontade feroz que, na adolescência, quando compreendeu o desprezo que os Boisvaillant tinham por ele, levaram-no a dizer: "Vou acabar com ela, essa velha megera, quando eu for mais rico do que ela!". E isso não demorou muito. Anselme observou a ascensão do amigo com inveja e, embora o considerasse um novo-rico, o admirava em segredo. Apesar das diferenças tácitas, souberam continuar amigos.

Joseph tinha se casado em Paris com uma jovem que conheceu no Café de la Paix. Uma cocotezinha, como ele gostava de chamar. Era linda, fina, inteligente. Suas maneiras por certo eram excêntricas, mas ela tinha se adaptado perfeitamente às expectativas de Joseph, que queria uma mulher que pudesse jantar tanto à mesa de um camponês quanto de um embaixador.

Victoire se veste com cuidado para o jantar. Odette a impressiona tanto com suas roupas extravagantes que sempre a faz se sentir como uma dama de companhia desleixada andando ao lado de uma noiva deslumbrante. No entanto, eu sou a mais nova, tenho mais frescor, ela pensa. Mas isso não faz diferença nenhuma. E a imagem de Céleste nua ainda mexe com ela. Está cercada de mulheres mais bonitas que ela. Permanece pensativa por alguns momentos. O vazio em que deambula desde sempre de repente parece tão vasto que ela perde o equilíbrio. Se apoia na cabeceira da cama e consegue afastar as questões fundamentais que estavam encontrando caminho até sua cabeça.

Mas é preciso se arrumar. Eles chegarão em breve. Escolhe um vestido de cetim ocre, com rosas bordadas e debrum claro, cuja cintura em corselete é realçada por tiras de veludo. As mangas bufantes revelam seus antebraços, enquanto o decote fica elegantemente escondido por rendas finíssimas. Então ela coloca, nos cabelos já presos, diversos grampos adornados com pérolas. No rosto, um pouco de pó, e nada mais.

— A elegância natural — diz para si mesma, lançando um último olhar para o espelho de corpo inteiro que, naquele dia, tinha lhe mostrado imagens perturbadoras.

Do quarto, Victoire ouve o Serpollet a vapor passar pelo portão do jardim, avançar e depois frear na frente do patamar. Ela desce para a entrada. Anselme já está lá, cumprimentando Odette. Huguette se encarrega dos casacos e chapéus.

Victoire, com um passo animado, se aproxima:

— Que prazer vê-la novamente! Odette, que moda você nos traz da capital?

— Minha cara Victoire, eu anuncio solenemente que não me chamo mais Odette. Eu sempre tive horror desse nome. A partir de agora, me chamem de Sarah!

Diz isso com um tom teatral, depois dá uma gargalhada forte. Joseph sorri:

— Para mim isso não muda nada, você sempre vai ser a minha cocotezinha!

Victoire olha para ela, atordoada:

— Por que Sarah?

— Imagine você que fomos a Paris. Foi lá que eu encontrei o modelo desse vestido! Maravilhoso, não? Poiret. A minha costureirazinha de Tours se inspirou nele...

Gira em torno de si mesma antes de continuar:

— Em resumo, nós estávamos em Paris, onde fomos ver a peça de Carré e Bilhaud, *A cortesã de Corinto*, com a grande, a imensa Sarah Bernhardt...

Faz uma pausa e então, olhando Victoire nos olhos, continua:

— Minha querida, eu preciso levar você lá. Ao vê-la no palco, eu me vi. Foi incrível. Ela expressou o que eu tenho mais profundamente dentro de mim. Uma experiência completamente doida, como se fosse uma duplicação...

Joseph a interrompe, brincando:

— E todas as mesas começaram a girar!

— Não deboche! Você viu como eu fiquei impressionada! Desde aquela noite, meu nome é Sarah, e ponto final. Odette sumiu do mapa!

Enquanto os homens se dirigem para a sala, as mulheres continuam na entrada. Victoire admira o vestido da amiga:

— Mas me diga, seu espartilho também sumiu do mapa?

— Sim, eu estava cheia de ser asfixiada. Eu quero ser livre, e o meu corpo também!

O vestido verde de Sarah é amarrado simplesmente com uma fita sob o busto, lembrando a moda Império. Liberta da curvatura exagerada do espartilho, sua silhueta é longilínea, leve e flexível. Sarah acrescenta:

— Desde que descobri que esse Poiret faz os figurinos de Sarah Bernhardt, eu só me visto assim.

Elas se juntam aos maridos. Victoire percebe que o novo vestido da amiga de fato libera sua cintura, mas a impede de andar. O corte estreito até os tornozelos a obriga a dar passos muito pequenos.

O jantar está à altura das expectativas de Victoire. No que se refere à cozinha, Huguette nunca a desaponta. Ela sabe reproduzir suas receitas todas as vezes da mesma maneira. E se falta um pouco de variedade, elas têm o mérito de nunca surpreender. A blanquette tem o equilíbrio perfeito entre cremosidade e maciez.

Victoire sorri. Graças ao vinho, ela está feliz de participar desse jantar, de ter sido sua organizadora, de poder conversar com os amigos, de falar de cultura, de lazer, de tudo isso que dá graça para a vida. E mesmo que ela seja, no mais das vezes, a espectadora dessas discussões, seu prazer não é afetado.

Quanto a Anselme, ele também parece perfeitamente à vontade. Com Joseph, eles podem falar de tudo. As recordações da infância, que os unem intimamente, lhes dão um profundo conhecimento mútuo, uma conivência que permite abordarem todos os assuntos, dos mais leves aos mais sérios. As conversas dessa noite vão dos negócios até o último carro dos sonhos de Joseph: o Ford T, recém-saído das fábricas americanas.

— Eu vou ter um, um dia, e vou levar todos para Paris! Chega de trem, chega de promiscuidade, chega de ficar preso ao horário! Vamos sair para onde bem entendermos! Não é mesmo, minha cocotezinha?

Ele ergue a taça para a esposa e os anfitriões. Dando gargalhadas, eles repetem em coro:

— Viva a liberdade, viva o Ford T!

Que alegria seria ir para a capital, pensa Victoire.

Huguette, depois de recolher os pratos, traz a sobremesa: îles flottantes ao estilo Escoffier. Todos a aclamam, aplaudem.

A cozinheira, geralmente tão reservada, agradece e acrescenta:

— Reconheço que nesta noite elas ficaram especialmente boas!

Brindam de novo à saúde dessa casa excelente. E, sem

saber se é por causa do vinho ou do formato arredondado da sobremesa, Victoire exclama com a voz estridente:

— Ah, vocês não sabem da última! A nossa jovem empregada, Céleste, está grávida!

Anselme solta sua taça, que se choca contra o prato e se estilhaça, dispersando o vinho tinto sobre a toalha, respingando em seu colete. A revelação de Victoire e a taça quebrada mergulham a pequena assembleia num silêncio profundo. Victoire pronunciou sua frase olhando para Anselme, sem segundas intenções. Acabou sendo, involuntariamente, testemunha da sua mudança de fisionomia.

A frase flutuou no ar, improvável demais para ser assimilada. E foi atingir a mente de Anselme quando ele aproximava da boca, ainda totalmente despreocupado, sua taça de vinho. Logo antes das palavras da esposa, conversava consigo mesmo: "Deus do céu, como é bom esse tinto, o produtor não me enganou, vou comprar mais umas...". E, de repente, a frase que aniquila seu pensamento, que projeta seu corpo para o último andar da casa, para uma cama de ferro que range, então sua mão se abre e a taça voa em estilhaços.

Victoire lê, no olhar do marido, aquela cadeia de pensamentos. Observa a breve transição entre a incredulidade e a revelação. E é quando a taça se quebra que a verdade explode em seu rosto: ele é o pai dessa criança que vem, e ele acaba de descobrir isso. No mesmo instante que ela.

Se Victoire e Anselme parecem viver esse momento em uma suspensão quase eterna, não é o caso de Joseph e Sarah. Ela é a primeira a quebrar o silêncio e, se suas ideias são bastante abertas sobre suas roupas, são bastante convencionais quando se trata de moral:

— Mas que vergonha! Ela tem que ser mandada embora! É uma desonra para vocês! Além do mais, uma criança na sua frente, enquanto você não tem uma...

Victoire a fuzila com o olhar:

— Como é que é, Odette?

Sarah morde o lábio e não se atreve a relembrá-la de seu novo nome. Percebeu muito bem que Victoire tinha ficado ofendida e estava tentando humilhá-la chamando-a de Odette.

É Joseph, finalmente, que os arranca com habilidade daquela situação embaraçosa:

— Vocês vão achar uma boa solução e, além disso, minha cocotezinha, as crianças não são tudo na vida, você sabe tão bem quanto eu, também existem os vestidos e Sarah Bernhardt!

A atmosfera descontrai. Eles mudam de assunto. Mas Victoire, enquanto escuta com entusiasmo a continuação da conversa, não para de rever a mudança no rosto de Anselme. Então era isso, diz a si mesma. E de repente surge a imagem da barriga inchada. Depois tudo se sobrepõe: os rostos, a barriga, o espartilho, seu reflexo no espelho, seus quadris estreitos.

— E tudo isso no mesmo dia — ela suspira.

A noite continua cordialmente, mas a excitação já se foi. E os Vanel decidem ir embora em seguida. O Serpollet — ao redor do qual Pierre não parou de girar a noite toda, fascinado que é por esses veículos — toma o caminho contrário, e o portão do jardim se fecha.

Assim que os convidados se vão, Anselme se recolhe em seu escritório, não tem nenhuma vontade de conversar com Victoire. Quer ficar só para poder pensar livremente no assunto.

— Boa noite, querida. E muito descanso...

Victoire não reclama. Ela também prefere se fechar no silêncio do quarto, sem precisar encará-lo.

Anselme se acomoda confortavelmente na poltrona que fica de frente para sua mesa e acende o cachimbo. Sente-se incrivelmente em paz. Algo nele relaxou, se soltou. Então quer dizer que eu não sou essa metade de homem que até agora pensei que fosse, ele pensa, enrolando o bigode.

Está satisfeito com essa situação que o coloca no topo dessa pirâmide venerada: a paternidade.

— Finalmente! — ele murmura.

Nem um único pensamento sobre Céleste, nem um único pensamento sobre a maneira brutal como a engravidou. Nenhuma dúvida sobre o fato de que é ele o pai. Não, uma satisfação total em que ele se deleita. E aquele cheiro de tabaco quente de que tanto gosta. A felicidade perfeita.

Deita completamente vestido em sua cama, dizendo-se que pode, que é capaz, que deve ter lido errado a carta, que tudo aquilo não passava de um erro.

Caindo no sono, ouve Victoire se preparando. Deve estar se penteando, ele imagina. De fato, sentada diante da penteadeira, com os cabelos desgrenhados, Victoire se olha friamente. Tomou sua decisão, sabe exatamente o que precisa fazer.

Na manhã seguinte, quando Anselme está em seu gabinete, Victoire chama Huguette e Céleste na sala de estar. As duas empregadas permanecem em pé enquanto Victoire, sentada em uma poltrona, se dirige a elas:

— A situação é a seguinte: Céleste está grávida e nós não sabemos de quem...

Huguette, atônita, olha para uma e depois para a outra. Como é possível ser ela a última a saber!

Victoire continua:

— Saber de quem não é o problema, mas é óbvio que essa gravidez desonra nossa casa.

Céleste soluça em silêncio. Huguette exclama, indignada:

— Como você pôde se atrever?

Victoire a interrompe:

— Por favor, Huguette, não diga nada que piore a situação! Também é óbvio que essa gravidez não pode chegar ao fim. Não é mesmo, Céleste?

A jovem não responde. Ela soluça. Victoire toma os movimentos de seu corpo como sinal de aprovação:

— Era o que eu pensava. A senhorita entende que errou, e que o seu emprego aqui em casa é muito mais importante do que isso que está crescendo na sua barriga...

Ela pronuncia o final da frase com repugnância. Vira-se para Huguette:

— Conto com a senhora para trazer madame Berthelot

o mais rápido possível. Ela tem uma excelente reputação e vai resolver tudo isso com a discrição necessária.

Victoire se levanta:

— Podem voltar ao trabalho.

As duas empregadas voltam para a cozinha. Huguette, atordoada, senta em uma cadeira, enquanto Céleste continua a chorar, encostada no fogão a lenha.

— Por que você não me contou?

— Eu tentei, mas estava com medo e não tinha certeza...

— É de monsieur?

Céleste assente com a cabeça.

Huguette revê a infância de Anselme. Ela era uma jovem empregada na casa de madame de Boisvaillant quando ele nasceu. Cresceu solitário, mimado pela mãe, sem pai. Um primo do pai costumava visitá-los com frequência, fazendo o papel de figura paterna. Anselme sempre o recebia com alegria, mas o homem, depois de tê-lo beijado, perdia o interesse nele, e Anselme voltava a brincar em seu canto. Fez alguns amigos na escola, principalmente Joseph. Nunca foi um aluno brilhante, mas sua aplicação e a segurança do seu entorno lhe permitiram passar em todos os exames e, por fim, ocupar com toda a competência o posto de tabelião de seu pai.

Mas o que Huguette lembra perfeitamente é de uma fala curta e grossa, bem ao feitio de Henriette de Boisvaillant. Ela simplesmente lhe disse: "Prefiro que isso permaneça em família, em casa". Depois ela empurrou Anselme, adolescente de virilidade confusa, para os braços de Huguette. Madame de Boisvaillant evitava, assim, os bordéis e as doenças que os acompanham. Até o dia em que a empregada teve que ir à

casa de madame Berthelot, já então tecedeira de anjos... Foi até lá diversas vezes, certa de que nunca iria querer um filho. A disponibilidade imposta por seu trabalho a obrigava a isso, e, quando Pierre, ao retornar da guerra mutilado, fixara-a com seu olhar perdido, ela entendera que seu filho seria ele.
Huguette se levanta e acolhe Céleste em seus braços.
— Vai ficar tudo bem, minha pequena. Madame Berthelot vai fazer a coisa certa e tudo ficará esquecido, você vai ver. Eu também esqueci...
Céleste olha para ela por entre as lágrimas:
— De verdade, Huguette? Você acha que eu vou conseguir esquecer?
— Claro que sim, minha pequena.
E ela a aperta mais forte em seu peito. Céleste se entrega a esse momento tão raro de ternura. Refugia-se ali por alguns momentos.
— Obrigada, Huguette.

Madame Berthelot só atende quando lhe é garantida absoluta discrição. Ela chega no final da tarde, acompanhada por Huguette. Victoire a recebe e agradece por sua prontidão.
— Mantenham-me informada! Estarei na biblioteca.
Céleste aguarda, nervosa, em seu quarto. Huguette e madame Berthelot — com as agulhas na bolsa — chegam com bacias de água quente e panos, muitos panos.
Pouco tempo depois, madame Berthelot vai à biblioteca, onde Victoire tinha tentado ler, sem sucesso.
— Mas já?
— Senhora, não há nada a fazer. Sua empregada está grávida há mais de seis meses!

Todo o universo de Victoire oscila. Seu mundo interior se despedaça enquanto ela afunda na poltrona em que esperava, ansiosa.

Victoire acha absurdo se sentir tão abalada por essa notícia. Ela ainda pode demitir Céleste. Poderia até se divorciar — a audácia desse pensamento a surpreende. Ela diria a Anselme que a situação é intolerável, mas no fundo sabe que não fará isso. E ir para onde? Enfrentar o olhar de desaprovação dos outros? Ela não seria capaz.

E, como uma grande onda interior, surgem lembranças na superfície de sua memória.

Seu primeiro encontro com Anselme.

Pouco tempo depois que a mãe de Victoire respondeu ao anúncio publicado pelo jovem viúvo, ele veio se apresentar na casa dos Champfleuri. Marguerite tinha encontrado uma desculpa para justificar a visita para sua filha. "Ele é primo de um conhecido...". As irmãs de Victoire foram mandadas para a casa de uma tia naquele dia. Só havia ela na sala de estar, com os pais e aquele tabelião "muito bem-apessoado". Conversaram primeiro sobre caça, um pouco sobre política — bem pouco, para não mexer com os ânimos de ninguém, mas era preciso mostrar que sabiam o que estava acontecendo no mundo. Depois Anselme explicou longamente seu trabalho de tabelião e, omitindo os nomes, contou até algumas histórias engraçadas. Eles riram bastante.

Durante a conversa, ele tinha olhado diversas vezes para Victoire. O rosto dela o agradou e, embora a achasse um pouco magra, seu comportamento era elegante. Os modos delicados e a pele diáfana exalavam um perfume de virgindade que lhe agradava. Em uma palavra, ele foi conquistado, e, além do mais, a vida de solteiro não lhe convinha. Precisava de alguém em casa que pudesse lhe dar um herdeiro. Victoire tinha reparado naqueles olhares insistentes, tinha até corado, entendendo de repente o que estava sendo tramado por trás daquela conversa inócua e daquela xícara de chá.

Respeitando as convenções, Anselme não se demorou naquela primeira visita. Ao se despedir de Victoire, disse que esperava revê-la em breve, "muito em breve", ele insistiu, beijando a mão dela.

Alguns dias depois, Victoire recebeu uma carta de Anselme declarando sua paixão. A jovem, num estado de júbilo em que se misturavam alegria e medo, mostrou-a imediatamente para a mãe. Ela pegou a filha entre os braços, dizendo que aquele homem devia ser dela porque Deus o havia colocado em seu caminho. Victoire não soube o que responder, aquilo tudo parecia irreal e rápido. Mas se aquela era a escolha de Deus, ela tinha algo a dizer? Diferente de "sim" e "obrigada"?

Assim, ficou tudo resolvido em poucos dias, e o almoço de noivado na casa dos Champfleuri ficou marcado para o início do mês seguinte. Na ocasião, as famílias se conheceram e se deram bem. Todo mundo causava boa impressão, as opiniões entravam em acordo, as carteiras também. Um esboço de contrato foi discutido entre os homens, e a data do casamento foi fixada para dali a dois meses.

Victoire tinha pouco tempo para terminar seu enxoval. Deu um duro danado nele, ajudada pelas irmãs: bordados *CB* por todo lugar. Toalhas de mesa, lençóis, fronhas, roupas, lavados, engomados, passados. Tudo tinha que estar perfeito. A concentração que aquilo exigia e a agitação de suas irmãs a impediam de pensar em qualquer outra coisa. Victoire passou dois meses flutuando em um estado de excitação permanente.

E o grande dia chegou. "O momento mais bonito da sua vida", a mãe lhe disse, "aquele ao qual você vai recorrer nos dias sombrios".

Hoje é um dia sombrio? A lembrança do casamento surge em sua mente e ela não encontra qualquer conforto.

Primeiro houve o casamento civil na prefeitura, depois todas as caleches seguiram para a igreja. Ao som do órgão, ela fez sua entrada na nave. Anselme esperava por ela perto do altar. Ela não se lembra do sermão nem das orações, lembra apenas de estar com frio, muito frio. Ela tremia sob o vestido e o longo véu de renda. Perguntava-se por que estava ali e o que iria acontecer.

No momento da troca dos votos, ela se voltou para a mãe para ter seu consentimento. Depois, respondeu um "sim" quase inaudível. O bigode de Anselme foi imediatamente pousar sobre seus lábios pela primeira vez. Esse estranho contato a fez tremer um pouco mais.

Vieram em seguida a música, o banquete, as alusões maliciosas, tudo o que ela esperava esquecer logo. E a noite de núpcias, a famosa, aquela que supostamente a tornaria mulher. Passar de garota a mulher num instante tão breve e brutal, isso é possível?

Victoire se levanta, não quer mais pensar nisso. Vai ver Anselme, porque, afinal, se a situação de hoje é esta, é por causa dele. Decide ir até o gabinete. Raramente acontece de ir perturbá-lo enquanto trabalha. Mas, nesse momento, ela entende que não tem escolha.

 Entra na sala. Os escrivães a cumprimentam respeitosamente. Um deles se apressa:

 — Madame de Boisvaillant, o que posso fazer pela senhora?

 — Diga ao meu marido que preciso falar com ele.

Quando Victoire entra na peça onde o marido se isola para trabalhar sozinho, ela mal o vê, tamanha a quantidade de documentos que cobrem sua mesa e o escondem. Distingue apenas o topo da cabeça e o som da pena arranhando a folha.

— Anselme?

— Sim — ele responde, surpreso que alguém o chame pelo nome.

Ele se levanta e percebe a esposa:

— Minha querida, o que você está fazendo aqui?

— Tenho que falar com você.

Antes de sentar em uma das cadeiras à frente da mesa, ela pega uma pilha de papéis e a coloca no chão.

— Preciso enxergar você.

Anselme, um pouco espantado com a audácia do gesto, não se atreve a impedi-la explicando que aqueles documentos são extremamente importantes, que o destino de famílias inteiras depende deles. Contenta-se em dizer:

— Muito bem, muito bem...

Ele senta de volta na cadeira de couro e espera que a esposa comece a falar. Lentamente, o polegar e o indicador começam a enrolar o bigode. Faz isso inconscientemente toda vez que se prepara para ouvir um cliente.

— Anselme, vou ser curta e grossa. Como eu disse ontem à noite, Céleste está grávida e, pela sua reação, eu logo

entendi que você é... — ela hesita e pronuncia a última palavra com rapidez — o pai.
Os dedos, que no instante anterior acariciavam o bigode, paralisam. E a mão inteira desaba sobre o braço da cadeira. Em sua vida pessoal e íntima, Anselme nunca tinha sido confrontado com tanta franqueza. As frases que lhe tinham sido endereçadas até agora eram sempre bem torneadas, discretas. E se ele é testemunha, em seu escritório, daquilo que há de mais vil nos sentimentos humanos, nunca é ele o destinatário. A sinceridade brutal da esposa o desarma. Ele balbucia:
— Mas, querida, do que você está falando?
— Recomponha-se, Anselme, e sejamos francos um com o outro!
Ela suspira e continua:
— Mandei chamar madame Berthelot.
— Quem é madame Berthelot?
— Como assim, você não sabe quem é? Saint-Ferreux inteira sabe o que ela faz!
— Não, eu não sei...
— É a tecedeira de anjos, expressão bonita para aborteira — ela diz, olhando-o nos olhos.
Anselme dá um salto:
— Mas isso é demais! Quem foi que deu permissão? Sem falar comigo!
— Não se exalte! — ela responde calmamente. — Acho que você é quem está na pior posição para falar sobre permissão e omissão...
Ele percebe, de repente, que ela está certa. Anda de um lado para o outro, mergulha em suas contradições internas. Como é que não foi capaz de considerar as consequências

de seus atos? Ele, o que controla as próprias emoções, o que aconselha os que estão com problemas, como ele pôde ter se deixado levar de forma tão estúpida? Quem o fez acreditar que seria imune a qualquer coisa?

Ele para e observa a esposa. Parece tão frágil nesse vestido rosa pálido, no entanto olha para ele sem piscar. Nunca a tinha visto tão determinada. E logo algo nele cede, suas certezas burguesas murcham, estremecem. Aproxima-se de Victoire, ajoelha-se ao pé da cadeira, segura a mão dela na sua e, com a voz trêmula, diz:

— Eu não quero perder você. Perdoe minha inconsciência, minha estupidez...

Ela responde com frieza:

— Que se dane a sua inconsciência e a sua estupidez! A questão é essa criança...

Anselme não a escuta de fato, tomado demais pelo que se agita nele:

— Victoire, eu preciso confessar uma coisa... Eu sempre achei que fosse estéril. Eu não sei por quê...

Agora é ela quem está espantada. Ela se levanta, deixando-o ali, ajoelhado.

— Mas então por que querer casar comigo? Por que continuar falando comigo sobre nossos filhos? Por que todas essas mentiras? Por que essa comédia, se nem você mesmo acreditava nela?

Ela pisa forte e acaba gritando:

— Você mente para mim desde o início!

Ele vai até ela, tenta segurá-la pelos braços:

— Fique calma, querida...

Ela se livra do abraço:

— Me deixe, isso tudo me dá nojo...

Agora estão de frente um para o outro, mais estrangeiros do que nunca. Ela continua:

— Madame Berthelot não pôde fazer nada. Céleste está grávida há mais de seis meses.

Permanecem em silêncio, incapazes de enfrentar essa realidade intransponível. Ela é a primeira a ver a luz emergir do caos. Uma luz frágil que usará a seu favor. Não, ele não vai perdê-la. Para onde ela iria? Sim, ela vai continuar sendo sua esposa. Ela gosta desse nome, Boisvaillant, e, além disso, se habituou a essa casa. Mas tudo isso com uma condição.

Pega as mãos dele e fala sem nenhum sentimento:

— Pois bem, Anselme, você acabou de provar que não é tão estéril! Vamos evitar o escândalo. Vamos ficar com essa criança, ela será nossa. Não vamos demitir Céleste, deixemos que ela nos dê seu filho. Ela vai agradecer por darmos um futuro a essa criança, à nossa criança. Mas, até segunda ordem, não chegue perto da minha cama!

Mal terminou a frase, Victoire bate a porta do escritório de Anselme. Ele não captou completamente o sentido das palavras da esposa. Simplesmente viu que ela tinha se acalmado. Pensa que, de um jeito ou de outro, eles se safaram dessa, e a ideia de que a criança nasça não o desagrada. Um menino seria perfeito. Ele se chamaria Anselme e poderia assumir o posto de tabelião, como fazem há quatro gerações. A honra estaria a salvo, e suas vidas teriam um sentido.

Victoire vai até a cozinha, é hora falar com Céleste. Encontra Huguette escamando um peixe.
— Olhe só esses lúcios, madame, não estão bonitos?
Victoire dá de ombros, não quer saber do peixe.
— Onde está Céleste?
Huguette, sem desviar os olhos da tarefa, responde:
— No quarto dela, eu acho...
Victoire pega a escada de serviço que leva aos quartos das empregadas. Ela se dá conta de que nunca foi até o segundo andar, de que nunca usou essa escada, de que sempre viveu apenas no térreo e no primeiro andar de sua casa. Como é que pode não a conhecer completamente? Como é que pode não ter tido essa curiosidade?, ela se pergunta enquanto escala os últimos degraus em espiral.

Quando chega no corredor, não sabe em qual porta bater. Há uma dezena delas, umas de frente para as outras, todas fechadas. Ela chama:

— Céleste?

Uma voz fraca responde, parece vir de uma das portas do fundo, à esquerda. Abre uma delas com cuidado. A peça está vazia, sinistra, mobiliada apenas com uma pequena cama de ferro, uma cadeira e uma cômoda coberta com um lençol — vestígios de uma época próspera em que todos os quartos eram utilizados. Bate suavemente em outra porta. Tem luz. Céleste está sentada na cama. O olhar perdido. Victoire lança um rápido olhar pela peça: como na anterior, há uma cadeira, uma cômoda na qual estão colocados um buquê de flores secas, um rosário, um candeeiro e uma pequena reprodução em cores da Virgem. Ao lado da cama, um par de sandálias.

Victoire pega a cadeira, se aproxima da cama e senta na frente de Céleste.

— Minha pequena, não se preocupe. Nós não vamos fazer nada de ruim com você. Vai ficar tudo bem...

— De verdade, madame? Mas como?

Victoire a observa pela primeira vez. Repara nos olhos cor de água, quase transparentes, que estão dançando. Céleste também a encara. Nunca estiveram tão próximas.

— Céleste, a senhorita não vai ser demitida. Nós gostaríamos que você tivesse a criança.

Victoire passa a tratá-la mais formalmente. Observa sua boca carnuda, que está tremendo. Os lábios se fecham e se enrugam de um jeito brusco, descontrolado.

— De verdade, madame? Mas como?

Os olhos de Céleste se enchem de lágrimas.

— Não chore, Céleste, por favor...
O tom de Victoire se torna suplicante. Ela pega em sua mão e repete:
— Por favor, não chore...
Céleste fecha as pálpebras e se concentra. Os lábios não pararam de tremer. Victoire acaricia as costas de sua mão com o polegar. Sua pele é macia, suas unhas estão roídas até o sabugo.
A jovem abre os olhos, engole as lágrimas. Suas pupilas dançam suavemente, interrogam-na.
Victoire continua:
— Céleste, eu tive essa ideia para o seu bem. E para o meu também...
Não acaricia mais a mão, agora a aperta:
— Proponho que a senhorita tenha o filho e que permaneça aqui, mas que deixe que nós, Anselme e eu, o criemos.
Consciente da gravidade da situação, acrescenta apressadamente:
— A senhorita estará aqui, vai vê-lo, ele vai crescer perto de você, mas será nosso.
Céleste olha para a mão que segura a sua com tanta força. Victoire a solta imediatamente. A jovem murmura:
— Então ele nunca vai saber que eu sou a mãe dele?
Victoire assente em silêncio.
O pensamento de Céleste está perdido em sua clareira interior. Ela revê seus irmãos e irmãs, suas brincadeiras na floresta. Ela revê a granja, o poço, o pai calado. Ela revê os campos de trigo resplandecentes ao sol, as espigas suavemente varridas pela brisa. Ela ouve a mãe chamando-os da porta. Eles mal a escutam, continuam a brincar. Ela ouve a mãe chamando-os de novo, mandando que venham ime-

diatamente para a mesa. Ela a revê de novo perguntando sua idade, todos os anos. Mas nenhuma lembrança de carinho. Céleste vasculha sua memória. Não, nenhuma. Eles se abraçam uns aos outros, entre irmãos e irmãs, mas nunca a mãe, ou então ela esqueceu.

Victoire observa Céleste andando pelo labirinto de seus pensamentos. Não ousa se intrometer. Ela lhe dá tempo para entender que não tem escolha, que essa criança sem pai não tem futuro, e para ela, uma mãe que perderia o emprego, a perspectiva seria ainda mais sombria.

Agora as lágrimas escorrem pelo rosto de Céleste. Victoire não tem como saber que a jovem está chorando mais pela ausência da própria mãe do que pelo abandono que está prestes a aceitar.

— Concordo.

— Obrigada, nós cuidaremos dele.

Victoire deixa o quarto rapidamente. Céleste enxuga as lágrimas. *Santa Maria, mãe do mundo, cuide de mim, cuide dele...* E coloca as mãos sobre a barriga.

Os meses seguintes passam sem sobressaltos. Cada um interpretando com perfeição a partitura desse balé em torno do qual eles se reuniram, afinados. Huguette espalhou em Saint-Ferreux a notícia de que madame estava grávida, mas, sendo de natureza frágil, iria se recolher em casa até o final sem receber visitas. Anselme se deleitou recebendo as felicitações habituais com modéstia, e Céleste foi proibida de sair.

Na barriga, a criança cresce depressa. Desde que Céleste entendeu que estava grávida, suas entranhas abrem espaço para esse ser pequenino que nascerá. Ela trabalha sem descanso, sem jamais reclamar desse corpo que a ocupa. Victoire e Huguette a observam com uma benevolência espantada, enquanto Anselme continua a ignorar aquela que carrega seu filho.

As contrações começam numa noite, quando ela está secando os pratos. Essa primeira dor a pega de surpresa e ela quase derruba aquela louça preciosa. *Pronto, ele está vindo.*

Não conta para ninguém. Cada um cuida de suas coisas e, logo depois, vão todos para a cama. Céleste também. Deitada na cama, ela observa a pequena chama do candeeiro oscilando na escuridão do quarto.

Ninguém acompanhou sua gravidez. Victoire simplesmente lhe disse: "Me avise quando chegar a hora". Mas como é que se sabe se a hora realmente chegou? Ela se lembra dos partos de sua mãe, das contrações que a dobravam ao meio, da falta de ar, depois das cortinas fechadas pela parteira. Cortinas que não abafavam os gritos, que só faziam aumentar o mistério. Então, o gritinho fresco e novo, às vezes valente, às vezes tímido. Um recém-nascido entre eles.

Céleste está esperando para ter certeza. Seu corpo adormece, mergulha-a intermitentemente em uma leveza absoluta que a alivia por alguns momentos dos esforços que virão. Passa a noite assim, entre contrações e relaxamentos.

No início da manhã, a dor ganha uma nova intensidade, tão forte que todo o seu corpo parece encurralado. Com os olhos arregalados, Céleste senta na cama. Quando as contrações diminuem, ela consegue se levantar. *Chegou a hora.* Ela desce a escada em espiral do jeito que dá. Quando chega no térreo, se agarra firme no corrimão. A onda que a atravessa não deixa dúvidas. Ouve barulho na cozinha. Chama Huguette. Nenhuma resposta. A onda passa. Ela acha que pode seguir em frente, mas a onda a percorre mais uma vez. Chama de novo. E, de repente, ela grita: "Huguette!". Um silêncio mais frio que o mármore paralisa a casa brevemente. Então Huguette vem correndo. Há passos também no corredor do andar de cima. Victoire chega de camisola, os cabelos desgrenhados, o olhar desnorteado. E o mesmo grito que perfura os tímpanos delas:

— Huguette!

— Estou aqui, minha pequena.

As pernas de Céleste estão tremendo.

— Vá buscar a parteira — ordena Victoire.

Huguette se mexe de um lado para o outro resmungando "Meu Deus, meu Deus" sem parar.

Céleste, ainda agarrada ao corrimão, consegue articular:

— A parteira, agora!

Huguette se recompõe, sai para retornar com a parteira pouco tempo depois. Victoire ajudou Céleste a subir de volta para o quarto. Pararam a cada degrau, recuperando o fôlego. Céleste, numa espécie de transe, começou a orar.

Santa Maria, mãe do mundo, me ajude, cuide dele. Santa Maria, mãe do mundo, tenha piedade, não me abandone...

Quando a parteira entra, Victoire avisa que vai querer ver a criança logo após o nascimento, estará esperando em seu quarto.

Ficam Huguette, a parteira e Céleste. Ajudam-na a se despir. As bacias e os panos que não foram utilizados por madame Berthelot são trazidos de novo. As contrações são ininterruptas, o nascimento é iminente. De repente, encharcada de suor e com os olhos esbugalhados, Céleste esbraveja:

— Saiam daqui, vocês duas! Saiam daqui!

— Mas, Céleste, você não vai conseguir fazer isso sozinha!

— Saiam daqui!

A determinação de Céleste é impressionante, e elas entenderam. A parteira diz calmamente que ficará atrás da porta, que estará a postos para qualquer chamado.

Céleste está se preparando para olhar para o mais profundo de seu ser. Ela mergulha no abismo de seu corpo para buscar uma força selvagem, que está lá desde sempre, esperando o momento. E o momento é agora.

Com todas as suas forças, Céleste empurra aquela vida para fora dela. Nada de cortinas, nada de crianças curiosas. Um silêncio que se forma em sua alma. O silêncio que precede a vida, o mesmo, exatamente o mesmo que precede a morte, o silêncio do ser, da consciência plena.

Céleste, acompanhada por uma força desconhecida e pelo silêncio original, dá à luz. E o grito que a dilacera não é o dela, mas o de seu filho. Que acaba de nascer.

A parteira entra imediatamente no quarto. Céleste segura o bebê nas mãos. É escorregadio, enrugado, vermelho. Depois que o cordão é cortado, Céleste cola aquele corpinho no seu. Huguette e a parteira estão agitadas. Céleste não vê nada, não sente nada. *Ele estava dentro, ele está fora.* Não se pergunta se é menina ou menino. Não, apenas esse corpo que treme contra o seu. Essa respiração rápida, quase ofegante, esses olhos semicerrados junto dela. *Você estava dentro, você está aqui comigo.* Um amor que brota. *Santa Maria, mãe do mundo, que cuidou de mim até agora, cuide dele. Tome conta dele como tomou conta de mim...*

A parteira não esqueceu as palavras de Victoire e, sem perceber do que ela está se tornando cúmplice, interrompe a oração:

— Madame de Boisvaillant pediu para ver a criança.

Huguette, com o coração apertado, de repente confrontada com a realidade da mentira diante da qual todos se curvaram, prefere ficar perto da nova mãe:

— Eu fico com ela. Vá apresentar a criança para madame.

E a criança, embrulhada em cueiros limpos, é imediatamente retirada dos braços de sua mãe.

Victoire espera pacientemente. Sentada na cama, recostada em várias almofadas, se instalou confortavelmente para receber o recém-nascido. Tratou até de arrumar o cabelo. Quer que a primeira imagem que ele tenha dela seja a melhor possível. Anselme foi avisado. Em seu escritório, ele também se prepara. A parteira bate de leve na porta do quarto.

— Entre!

Victoire estende os braços e pega o bebê, que está agitado, dando gritinhos agudos.

— É um menino, não é?

— Sim, madame.

— Eu sabia que nós teríamos um menino.

A parteira não dá atenção ao "nós", ela ainda não entendeu. No alvoroço do parto, não percebeu que Victoire não estava grávida, como se sabe na cidade.

Nesse momento, Anselme entra. Quando vê a esposa com o bebê nos braços, sua emoção é tão forte que ele permanece pregado onde está.

— Olhe, Anselme, o nosso menininho!

A cena que se apresenta a seus olhos é a que ele sonhou durante toda a vida. Um filho, um descendente, um macho.

— Meu Deus, Victoire, que coisa mais linda vocês dois!

A parteira, que seguiu o diálogo em silêncio, de repente entende o que está sendo tramado à sua frente.

— Madame de Boisvaillant, o bebê precisa da mãe dele agora.

O olhar com que Victoire a fuzila é definitivo, a resposta também:

— Eu sou mãe dele. Foi Céleste que o gerou, mas Anselme e eu somos os pais.

Ela se vira para Anselme:

— Já preparou os honorários de madame Thévenin?

— Naturalmente!

E ele entrega um envelope para a parteira. A voz de Victoire fica suave, quase melosa:

— Nós agradecemos por ter vindo tão rápido, e também por sua dedicação. O pagamento está à altura da nossa gratidão.

Madame Thévenin entendeu perfeitamente que o montante de seu silêncio está no envelope. Só deseja uma coisa: ir embora dessa casa. Ir embora para não pensar no que acabou de ver. Ir embora levando o envelope.

— Muito bem. É preciso que Céleste descanse — acrescenta precipitadamente —, e a senhora também, madame.

Sai do quarto, o envelope escondido em seu vestido, e imediatamente se despede de Céleste, sem esquecer de lhe dar instruções para os cuidados dos próximos dias. Madame Thévenin já viu situações desse tipo. Se a empregada não é mandada embora, a criança às vezes é mantida. Em Saint-Ferreux, todo mundo estava se perguntando sobre a suposta gravidez de Victoire, que não era mais vista na cidade e que tinha ficado tanto tempo sem filhos. Ela também sabe que Anselme irá ainda hoje à prefeitura para reconhecer seu filho. Então, ela permanecerá em silêncio. Enquanto conta as cédulas, fica pensando que eles têm razão e, além do mais, isso não é da sua conta.

O bebê adormeceu nos braços de Victoire. Anselme está sentado perto deles. Vivem um momento de intensa felicidade misturado com dúvidas e ansiedade. Mas chegaram lá. O bebê está aí. O bebê deles. Sou pai, sou pai, Anselme não para de repetir para si mesmo para se convencer dessa realidade.

Em voz alta, ele acrescenta:

— Eu queria que o nome dele fosse Anselme.

— Impossível! — Victoire retruca, sem conseguir conter a hostilidade.

— Por quê?

Ela procura um argumento válido, não quer feri-lo dizendo que odeia esse nome. Ela tenta:

— Para que ele tenha a própria identidade, entende?

Anselme não consegue esconder a decepção:

— Eu queria que ele se chamasse como eu porque é uma tradição e, além disso, nós teríamos as mesmas iniciais...

— Se é por isso, vamos chamá-lo de Adrien!

Foi o primeiro nome começando com A que lhe veio à mente. Ela teria preferido Émile. Agora está surpresa que nunca tenham conversado sobre isso antes. Anselme cede. As iniciais, já é alguma coisa, ele diz para si mesmo. Quanto ao resto, é ele quem cuidará de sua educação intelectual. E tudo ficará bem.

— Sim, querida, você está certa. Adrien é perfeito! Vocês são tão lindos. Já é hora de chamar esse pintor de Tours. Ele tem que fazer seu retrato agora que você está na plenitude de sua beleza... Minha querida, nós temos um filho!

Sorriem um para o outro enquanto olham para o bebê adormecido. O sonho deles tornado realidade.

Saint-Ferreux-sur-Cher, 4 de fevereiro de 1909

Minha muito querida mãe,

Estou finalmente escrevendo esta carta. Toda a minha vida sonhei em escrevê-la, em poder pôr o preto no branco e anunciar que meu filho nasceu! Ontem, Adrien chegou entre nós. Quanta alegria! Agradeço por ter sido paciente e por ter aceitado minha grosseria, que os impediu de virem me visitar. Mas agora que ele está aqui, você são muito bem-vindos!

Adrien é um menino lindo que já se parece com o pai, mas eu tenho certeza de que ele vai ter muito da minha personalidade! Correu tudo bem no nascimento. Eu estou descansando, do jeito que a parteira recomendou. Você não pode imaginar a nossa felicidade. Anselme está nas nuvens. Ele, que ficou tantos anos sem um herdeiro, parece que se transformou. E eu, eu volto a pensar no que você me dizia, que as mulheres encontram a realização dando vida. Como você estava certa! Agora minha vida tem um sentido, e eu vou fazer tudo por esse pequeno ser.

Como você pode imaginar, já estamos pensando no batizado. Para que seja uma festa bonita, eu gostaria de esperar a primavera e os dias ensolarados. Maio, com certeza. Conto com você para as amêndoas confeitadas, as da dona Chandeau são de longe as melhores, eu direi em tempo hábil de quantas vamos precisar. Eu cuidarei das flores.

Eu adoraria que Adrien usasse o vestidinho que nós todas usamos, mas Anselme quer muito que seja o dele. Para não contrariá-lo, aceitei de bom grado. Ontem ele foi até a prefeitura reconhecer nosso filho. Ele não pôde deixar de adicionar Anselme como seu terceiro nome. Então o nome dele é: Adrien Joseph Anselme de Boisvaillant.

Lembra de Joseph? O padrinho de Anselme no nosso casamento. Ele será o padrinho de Adrien. É um amigo de infância de Anselme, um advogado. Ele será perfeito, é de absoluta confiança.

Colocamos o cestinho no meu quarto. Adrien está sempre comigo. Eu ainda não consegui pregar o olho, acho que é esse amor extraordinário. Deve ser isso, não? Espero seus sábios conselhos. Quem conhece crianças melhor do que você?

Quanta alegria! Espero que possamos organizar a visita de vocês para logo e que sua gota não a impeça de enfrentar os quilômetros que nos separam. Os remédios estão aliviando as dores?

Agradeço pelo xarope, que atenuou minhas dores de estômago, e também pelas ótimas ameixas ao rum. Nós as comemos todas as noites, depois do jantar.

Mãe, eu estou muito feliz. Eu sou uma mulher agora. Antes, eu estava esperando, incompleta.

Penso em todos vocês e na felicidade que essa notícia lhes dará. Façam um bom jantar à nossa saúde e encomendem uma missa com o meu querido padre Gabriel, de quem eu sinto falta, que ficará radiante ao saber da notícia.

Dê um grande beijo nas minhas irmãs e no papai.

Com todo o amor da sua
Victoire

A realidade é completamente diferente. Victoire não entende nada do pequeno corpo que pegou nos braços. Só consegue relaxar quando ele dorme. Ele dormiu bastante nas primeiras horas, e ela o achou fofo, um pouco enrugado, mas fofo. Depois ele começou a gritar, a chorar. Nela, nada capaz de acalmá-lo. Uma paralisia total da alma e do espírito que a impede de confortá-lo. Ela sussurra: "Calado, calado", e seus braços ficam tensos. Mantém a compostura diante de Huguette. Sorri e então, à beira das lágrimas, implora: "Faça alguma coisa!", e a empregada, também ela inexperiente, pega Adrien e murmura algumas canções de ninar. Às vezes o bebê se acalma.

Ficou decidido, de comum acordo, que Céleste ficaria de cama por duas semanas e depois retomaria o trabalho. A parteira virá vê-la duas vezes. De seu quarto, Céleste não ouve o choro. Noite e dia, ela dorme um sono profundo, restaurador, que lhe permite não pensar e não sentir nada.

Seu corpo descansa. Logo ela sairá de seu torpor, mas, por enquanto, está imobilizada pela languidez do esquecimento.

Nos primeiros dias, deram água com açúcar para Adrien. Victoire proibiu formalmente que chamassem uma babá. Cuidará dessa criança sozinha, ela é capaz disso. E quanto mais flagrante é a sua incapacidade, menos ela permite que os outros se aproximem dele. Nos dias seguintes, usaram as mamadeiras Robert, "as melhores, mas as mais caras", como informaram em Tours. Victoire acha que com esses novos utensílios tudo ficará melhor. Mas Adrien come pouco, dorme pouco. Onde está, afinal, aquela vida dos sonhos? Aquela plenitude prometida a todas as mulheres? Onde foi que ela errou? Por que ela não consegue? Ela, que pensava que bastaria olhar para ele para amá-lo. Não, ela o observa chorar, e o sentimento que tem é de indiferença. Uma indiferença tal que, depois de um tempo, ela não ouve mais os gritos, e a calma finalmente surge. Uma calma que a leva para longe dos outros, para longe desse quarto, de todos, de tudo.

Anselme instalou uma cama em seu gabinete, é incapaz de aguentar os gritos do bebê. Victoire entendeu perfeitamente: "Claro, querido", disse com um sorriso, "você tem que estar em forma para trabalhar".

Victoire acha que encontrou a solução. Voltou a tocar piano. Huguette tirou de cima do instrumento todos os bibelôs que o cobriam e Victoire resgatou *As horas da manhã*, de Czerny. Retomou tudo desde o começo, fazia tantos anos que não tocava. Foi uma vontade irreprimível. Ela coloca o cestinho sob o instrumento e passa horas praticando. Que alívio! As notas encobrem o som do choro...

Ao cabo de quinze dias, o bebê come cada vez menos, dorme sem parar e, principalmente, não chora mais. Depois daquela primeira vez em que o abraçou, logo após o nascimento, ela não o fez mais, não conseguiu mais fazê-lo. O desejo nunca voltou, algo mais forte do que sua vontade a impedia. Ela se sentia mole de repente, sem força. O que não a impedia de proibir qualquer um que quisesse segurá-lo. "É meu filho!", dizia, feroz. Podia tocar piano por horas, mas segurar Adrien junto de si exigia um esforço insuperável. Agora que ele não chora mais, diz para si mesma que não é tão grave não o acalentar, ele entendeu que só precisava parar de gritar e tudo ficaria bem.

O fim do choro coincide com a volta de Céleste ao trabalho. Ela não viu a criança de novo, mas há algo na casa que a incomoda. Esse piano que cinge a tensão do ambiente a deixa alerta, ainda não sabe por quê. Huguette avisa Céleste do ciúme de madame. Mesmo ela só tem o direito de se aproximar para alimentá-lo.

— Além disso, ele está comendo cada vez menos — acrescenta. — Todas as manhãs trazem leite fresco, mas ele não acorda mais para comer...

Céleste compreende, de repente, que o bebê está definhando. O bebê que ela carregou, de quem ela não é capaz de dizer se gosta ou não. Seu filho, que eles decidiram criar, está definhando.

Ela está certa. O corpo de Adrien, toda a sua carne se agarrou à vida com a virulência necessária para crescer. Ele pegou a comida que lhe foi oferecida, descansou como deveria, mas o amor estava ausente e leite nenhum o substitui. Está sozinho, perdido nesse mundo novo. O bebê sente tudo. Ele gritou, pediu e, ainda assim, nada aconteceu. Nenhuma mão, nenhum peito, nenhuma pele para confortá-lo. Ele é espremido, envolvido, sacudido pelas notas ininterruptas do piano. Exatamente duas semanas para ser convencido a não crescer, a se deixar morrer. O corpo do bebê, agora, se cala. Nenhum desejo, nenhuma força, o afrouxamento até a completa exaustão.

Céleste de repente entende.

Santa Maria, mãe do mundo. Agora eu preciso de todas as suas forças. Agora mais do que antes, mais do que nunca. Permita que ele viva, que eu consiga salvá-lo...

Céleste espera a noite. Huguette disse que o cestinho, quando não estava embaixo do piano, estava no quarto de madame. Irá quando eles dormirem, não tem medo, não tem mais escolha, e passa o dia balbuciando suas preces. Ela retoma o trabalho sem melindres, vencendo as tarefas uma após a outra. O parto, a separação do bebê, o repouso absoluto em que ela se afundou em seguida produziram uma transformação extraordinária da qual ela está começando a se dar conta.

Céleste, imersa numa multidão de emoções desconhecidas até então, compreende que tem um corpo. Essa descoberta é puramente sensorial. Nenhuma ideia, nenhum conceito sobre isso. Apenas uma certeza: esse corpo está aí, ele abraça a vida, a dá, a insufla. Ele tem uma potência vertiginosa. Esse corpo sempre negado, usado unicamente para as incumbências da vida cotidiana — geralmente a dos outros —, adquire uma nova dimensão. Céleste, agora, pode. Sua educação, sua condição farão com que ela não vá tão longe quanto deseja. Mas essa força prodigiosa avança sobre limites intransponíveis, como o de ir, sem tremer, buscar o bebê no quarto de madame para que ele passe a noite perto dela.

Naquele dia, Victoire está muito falante. Está contente que Adrien finalmente esteja sendo razoável, ela toca piano, vai de um lado para outro, saltitante. Sua voz inquieta, aguda demais desde a chegada da criança, não para de chamar Huguette. Quer recomeçar as aulas. Nunca tinha percebido como era talentosa. Sim, recomeçar as aulas para deslumbrar a si mesma e aos outros, para se embriagar de notas. Todos ficarão muito orgulhosos dela! Também poderia organizar algo em casa, uma tarde por semana, e convidar amigos músicos para explorar a música de câmara. Meu Deus, que felicidade! Um trio de Schubert. Por que não tinha pensado nisso antes? Ela escolheria a quinta-feira, como sua mãe, e seu lar se tornaria o coração da cultura de Saint-Ferreux. Adrien, quando crescesse, ficaria impressionado com esse mundo maravilhoso.

 Ela encontra Anselme ao meio-dia e conta suas ideias. Ele também fica entusiasmado. Fica sempre feliz em ver sua esposa contente, para que ela saia um pouco desse estado que navega entre a melancolia e a histeria. Ele leu recentemente um artigo descrevendo a histeria feminina. Ficou com medo, pensou que estava lendo um retrato de Victoire. As mulheres vivem em um mundo tão estranho, tão pouco compreensível. Sempre mudando. Ele se perde tentando acompanhá-la. Mas quando ela está alegre, nunca deixa de apoiá-la:

— Sim, querida, sua ideia é excelente. Faça tudo o que quiser!

 Subentendido: encontre sua felicidade do jeito que desejar, desde que você mantenha a decência exigida pelo nosso meio. Inconscientemente, Anselme sente em sua esposa um caráter vulcânico, uma explosão possível, que poderia metê-los em algum escândalo. Embora ela sempre tenha se comportado de maneira exemplar, ele tem esse sentimento subjacente, que tenta amansar reconfortando-a sem cessar. Essa histeria será perfeitamente domada pela maternidade, ele diz a si mesmo. Pois está tudo aí: uma mulher e seu filho, o desabrochar e a completude. Um vazio preenchido.

Até a noite, imóvel em seu cestinho, Adrien não abriu os olhos. Huguette insiste com madame para alimentá-lo, mas Victoire não lhe dá ouvidos.

— Deixe o bebê em paz! — ela diz quando vai se deitar.

A casa está calma. A noite pousa sobre cada um deles. Victoire adormeceu, feliz com sua ideia de salão, cheia de notas inebriantes. Huguette e Pierre voltaram para sua casa no fundo do jardim. Anselme, deitado em sua cama de campanha, considera que poderá voltar em breve ao primeiro andar, para o escritório contíguo ao quarto do casal, onde a cama é, apesar dos pesares, mais confortável que essa.

Só Céleste está desperta. Está esperando que a lua fique bem alta. Então, ela vai descer. Não pensa em nada além dos minutos que estão passando. Ela é paciente, determinada.

Chegado o momento, quando a lua toca o topo da árvore, ela abre a porta com todo o cuidado, caminha na ponta dos pés, desce as escadas, os tapetes do corredor amortecendo seus passos. Gira lentamente a maçaneta do quarto de madame. Nenhum barulho ali dentro, exceto a respiração lenta e profunda de Victoire. Céleste se aproxima do cestinho. Adrien não se mexe, mas, na escuridão, abre bem os olhos. Sua carne se enche de esperança.

Céleste fecha a porta atrás deles. A respiração de Victoire não se alterou. Sobe imediatamente para seu quarto. Tão logo chega, apaga a chama do candeeiro e começa a se despir. Céleste colocou Adrien com delicadeza em sua cama. De olhos arregalados, o bebê espera. Quando está completamente nua, ela o desembrulha dos cueiros. E, quando ele está tal como no primeiro dia, ela se deita e cola o corpinho dele contra o seu. Reconhecem-se imediatamente, os braços de Adrien se agitam. Toda a sua derme adere à dela, e desse imenso e inesperado prazer jorra um arquejo suave. Um novo fôlego que tira o bebê daquela dormência. Pele contra pele, eles se encontram.

Victoire acorda. O quarto está diferente. Alguma coisa em seu sono a alertou. Acende a luz, o cestinho se foi. Ela se levanta. Onde está? Seus passos a levam diretamente para o quarto de Céleste e quando, à luz bruxuleante do candeeiro, descobre Céleste e Adrien entrelaçados, sem hesitação, ela se despe também. Pois seu lugar é perto deles, nessa caminha de ferro onde Céleste a acolhe. E suas três peles são uma só. Uns juntos dos outros, se amando.

O pequeno continua colado no peito de Céleste, no deleite dessa sensação nova, desse corpo que se oferece infinitamente. Os três se mantêm juntos, os corpos e os corações batendo, apressados, adentrando sem hesitação esse mundo escorregadio, febril, extasiante do amor. Se o bebê, preocupado apenas consigo mesmo e com sua sobrevivência, não percebe o que está acontecendo nesse momento, Céleste e Victoire, tomadas por suas educações, por seus deveres, por suas esperanças e decepções, ficam paralisadas à beira desse mundo novo. Elas sentem muito bem, no entanto, que todos os momentos anteriores, tanto agradáveis quanto insignificantes, se orientaram na direção disso, na direção desse prodigioso agora, desse limiar que estão prestes a atravessar e que oferece aquilo que tinham sonhado.

Hoje à noite, no limiar do milagre, aquele clarão dura, e elas ousam acreditar que não vai acabar nunca.

O amor está ali, onde não deveria estar, no segundo andar dessa casa opulenta, protegido pela pedra de tufo e pelas ardósias perfeitamente alinhadas, protegido por esse pensamento burguês que até então as limitava e que, agora, lhes oferece um refúgio. Nada de veludo carmesim, nada de alcova confortável, mas uma cama de ferro e um cobertor de lã que pinica a pele. O deslumbramento ao alcance dos dedos e das línguas.

Elas ainda não ousam se mexer, mas logo estarão tomadas pela vertigem. Amar-se com todas as forças, é o que farão, noite após noite. Primeiro sem se mexer, com medo de arruinar esse milagre cutâneo.
 O ritual será sempre o mesmo. Quando a lua tocar o topo da árvore, Céleste descerá para buscar Adrien. Victoire, de olhos fechados, vai deixá-la entrar e sair com o cestinho, depois se juntará a eles, deixando cair, no piso do quarto da empregada, sua camisola de seda e todo o resto. Na cômoda, o candeeiro permanecerá aceso. Ela vai querer ver as suas peles: a de Adrien, a de Céleste.

Nessa primeira noite, Victoire se deita de lado — todo o seu corpo se encaixa no de Céleste, deitada de costas, recebendo a criança. Victoire aninha sua cabeça no pescoço da jovem e pousa a mão sobre o ombro dela. Tudo é incrivelmente casto. Victoire ouve suas respirações se misturando. Ela está junto desse corpo tão bonito que viu em seu quarto, e também tem seu cheiro, um perfume inebriante e áspero, algo intenso que desperta suas narinas. A descoberta do outro.
 Céleste cheira a samambaia, a feno cortado, a vinho azedo, a suor de sol escaldante, a panos ásperos de linho, ela está impregnada do odor de seus irmãos e irmãs, os corpos colados no seu, à noite. Céleste cheira a terra batida e a solidão, toda a sua infância, toda a sua história tão longe da de Victoire, e agora tão perto, muito perto.
 Victoire não mexe a mão, deixa que ela se sacie desse corpo novo. Nesse deslumbramento, tem apenas um pensamento: finalmente estamos vivas. E essa realidade ex-

traordinária a conduz para o pescoço daquela mulher, para um ponto muito específico, atrás da orelha, sob o lóbulo esquerdo, exatamente na cavidade de pele entre a nuca e a mandíbula. Esse ponto traz uma esperança infinita, como uma fonte de pele desconhecida para os outros, que ela acaba de descobrir e que lhe abre um mundo luminoso.

Céleste está viva e eu a ouço respirar. Na cavidade de sua pele, eu estou inteira.

À primeira luz do dia, Victoire se levanta e pega o cestinho. Na absoluta leveza dessa felicidade, ela murmura:

— Nós vamos nos encontrar todas as noites.

— Está bem, madame.

— À noite não há madame, não há Victoire, apenas você e eu...

Quando Huguette, nessa mesma manhã, traz o café da manhã de madame, os olhos de Adrien estão bem abertos em seu cestinho. Victoire aspira o sachê de lavanda que ela segura apertado na mão.

Huguette coloca a bandeja na cama, depois abre as janelas e as cortinas:

— Um lindo sol de inverno hoje, madame! — E continua, depois de fechar a folha da janela: — Monsieur está em seu gabinete.

— E não é assim todos os dias, Huguette?

Victoire dá uma gargalhada ao dizer isso. A empregada ri, acompanhando. A alegria parece contagiosa. Huguette se inclina sobre o cestinho:

— Mas você acordou cedo hoje!

Mal terminou sua frase, o bebê soltou gritos estrondosos e ficou com o rosto vermelho.

— Sim, Huguette, e acho que está com muita fome. Dê a mamadeira para ele.

— Acabou de chegar o leite fresco, eu vou buscar.

— Não, dê comida para ele na cozinha. Eu vou descansar mais um pouco.

— Muito bem, madame.

Huguette sai imediatamente com o cestinho. No corredor, ela murmura:

— Você deu a volta por cima, meu pequeno. Muito bem!

Victoire ouve os gritos da criança se afastando.
Ficar esparramada mais um pouco pensando nessa noite. Se espreguiçar enquanto se lembra dela. Victoire não pode deixar de sorrir. Estar perto de você, respirar juntas. Ela volta a segurar o pequeno sachê de lavanda, cujo perfume está certamente muito distante do da noite passada, mas que a mergulha de novo, por um misterioso caso de osmose, naquela nova felicidade.

Céleste está na cozinha quando Huguette entra com o cestinho:

— Olhe só como Adrien está com fome esta manhã!

Depois de encher a mamadeira, Huguette o pega nos braços e o alimenta. Céleste senta na frente deles e os observa. *Meu bebê está recuperando as forças*. Adrien bebe com apetite. As duas mulheres estão em êxtase:

— Sabe que na fazenda de Eaubonnes tinha um menininho que tomava dois litros de leite por dia!

Céleste não acredita no que ouve:

— É mesmo? E ele não ficou doente?

— Você que pensa! Se você visse o tamanhão dele hoje!

Huguette observa Céleste, que olha para o bebê:

— Quer segurar um pouco?

— Não, acho melhor não.

— Como você é corajosa, eu não sei se eu teria...

Os olhos de Huguette se enchem de lágrimas. Céleste sorri para ela antes de responder com serenidade:

— Foi você que me disse para manter a cabeça erguida, não é mesmo? Além disso, o que mais eu poderia ter feito? Monsieur e madame vão dar um ótimo futuro para ele. Disso eu tenho certeza. Comigo, ele iria acabar se arrastando na lama. — Ela leva um tempo antes de continuar: — Enfim, esse menino tem muita sorte.

— Você está certa, mas mesmo assim, eu não acho que eu teria...

Adrien, cheio de leite, adormece nos braços rechonchudos de Huguette.

À tarde, Victoire tem uma visita. Até então, não havia recebido ninguém. Ela está tocando piano, o cestinho perto dos pedais, quando Sarah entra na biblioteca:
— Você vai deixá-lo surdo desse jeito, pobre garoto!

Deus, como é estúpida essa Odette!, Victoire pensa enquanto se levanta da banqueta para cumprimentá-la.
— Minha querida Sarah, como você está? Que prazer em vê-la! E lhe asseguro imediatamente: Adrien adora o piano!

Huguette ficou discretamente a postos perto da porta. Victoire se dirige a ela:
— Chá, por favor, e suas deliciosas madeleines, é claro...

As duas amigas se acomodam confortavelmente.
— Veja só, você parece perfeitamente bem para uma jovem parturiente!

As duas riem. Sarah continua:
— Parece que vocês acertaram em pegar esse bebê!

Victoire corrige:
— Nós não o pegamos, nós o adotamos. Além do mais, vocês são os únicos a saber...

— Sim, é verdade. E não se preocupem, vocês podem contar com a nossa discrição. Mas, de qualquer forma, você fez muito bem em evitar todos os aborrecimentos da gravidez. Você não pode imaginar como eu odiei estar grávida! As náuseas, o cansaço, além de ficar gorda, tão gorda... Olhe para você! Você deu à luz há duas semanas e já está magrinha assim!

Elas caem de novo na gargalhada.

Na noite seguinte, Céleste foi deitar o mais tarde possível. Ficou bastante tempo na cozinha, polindo tudo o que lhe viesse à mão. Quando, por volta das dez da noite, ela começou a esfregar o fogão, Huguette, espantada, perguntou que bicho a tinha mordido. "Isso me faz bem", respondeu Céleste sem sequer olhar para ela. Huguette foi embora então, os dias já lhe pareciam longos o suficiente para arranjar mais trabalho.

Duas horas depois, a cozinha está mais do que limpa, e Céleste sobe para seu quarto. Não tem mais muito tempo para esperar. Ela se despe, dobra meticulosamente o avental e o vestido, colocando-os no encosto da cadeira. De pé no meio da peça, acaricia seu corpo. A mão, que alguns instantes antes estava esfregando o ferro fundido do fogão, agora passeia suavemente sobre sua pele. Ela nunca teve tempo para se tocar ou, quando o fez, foi num gesto casual, enquanto se lavava, sem realmente querer.

Do amor, ela conhece apenas os ataques breves e violentos de Anselme. Toda vez que ele a pegava, seu espírito, numa façanha vertiginosa, a levava para longe de seu medo e de seus corpos em luta naquele desejo absurdo. Na primeira vez, Céleste ficou tão mal que sua consciência parou ali mesmo. Não entendeu o que estava acontecendo. Imagens borradas de cavalos eretos vinham à sua memória. A ponta rosada e rija do sexo dos cães da granja também. Seus irmãos e irmãs riam vendo a excitação dos animais, mas naquelas risadas havia um nervosismo, uma brecha discreta, que os perturbava, os encantava.

Céleste viu acasalamentos e, no entanto, mal consegue estabelecer uma relação com as visitas de Anselme. O amor ausente, a ternura inexistente, dois corpos que se penetram sem que seus espíritos se liguem. Por todas essas razões, Céleste não se preocupava com a gravidez, ela só se tornou real quando os outros decidiram criar seu filho. Ela insiste no "seu". Porque ela o carregou, e sua carne o ama de certa maneira, mas ela sente que ele estará ligado para sempre a imagens passadas, a imagens tristes, os cães, os cavalos, a cama de ferro, a angústia que revirava seu estômago quando ouvia os passos pesados de Anselme se aproximando.

Victoire, ontem, não fez nenhum barulho. Abriu a porta delicadamente e se despiu com agilidade. Pela primeira vez em sua vida, Céleste viu um ser se colocar à sua altura, por mais minúscula que ela seja. Ela nunca se sentiu maior que uma samambaia — ela poderia se esconder atrás de um cepo da clareira e ninguém notaria sua ausência, ela poderia morrer ali, daria no mesmo. Ontem, com o simples gesto de uma mão pousada em seu ombro, seu corpo finalmente cresceu, ele existe, ele se vinculou a outro. E esse mundo, no qual ela até agora avançou às cegas, resignada, consentindo com tudo sem a menor resistência, adquire uma tonalidade nova, ardente. Aquele simples gesto a tornou viva.

Céleste acaricia sua barriga. É de uma suavidade inesperada. A penugem fina que a recobre faz sua mão inteira deslizar, se embrenhar. Ela continua seu caminho de volúpia em direção ao sexo. Céleste nunca explorou além disso. Quando criança, se contorcendo, ela tinha tentado olhar. Suas irmãs, durante as brincadeiras de verão, depois dos banhos de rio, tinham lhe mostrado, rindo, a fenda rosa, sem pelos, no encontro das pernas. Céleste achou aquilo fascinante e misterioso. Mas a despreocupação da infância está muito distante agora. E o que sua mão descobre, nessa noite, é uma carne úmida e quente, uma saliência que incha sob seus dedos.

Santa Maria, mãe do mundo, cuide de mim.

    Céleste fecha os olhos, a alegria ao alcance da mão, mas não vai mais longe. Ela espera Victoire. Da percepção ainda confusa de estar viva nasce um desejo profundo, urgente.

    Deita na cama. O céu está nublado, não se vê a lua, mas a árvore está lá. Dentro de uma hora, chegará o momento. Colocar a criança sobre ela, deixar Victoire se juntar ao seu lado. Respirar juntas. Não dizer nada, e orar bastante para que isso dure para sempre.

Na manhã seguinte, Anselme acorda cedo. Já faz vários dias que espera por esse domingo em que escapará da missa dominical para ir caçar com Pierre. Irão a cavalo na direção do bosque de Saint-Ferreux, atravessado pelo Cher, e lá encontrarão todos os tipos de animais de penas, talvez um javali ou até uma corça. O troféu não é o que mais gosta na caça, ele gosta especialmente da preparação, o bando que os segue, o caminho e, em seguida, a exaltação ao ver o animal assustado em fuga. Também gosta de, no início da manhã, ver a natureza despertar para apreciar o espetáculo esplêndido das cores cambiantes. Sentir-se ao mesmo tempo animal, porque sua pele se arrepia na aurora desse novo dia, e homem, capaz de se extasiar com a beleza circundante. Além disso, todos os caçadores dizem isso, se eles estão com um rifle nas mãos no meio dessa natureza exuberante, é porque a amam acima de tudo.

Outra coisa que comove Anselme é que seu pai era um excelente cavaleiro. Na guerra, aliás, ele fazia parte da divisão de cavalaria, sempre lhe disseram que era um excelente montador. Quando Anselme vai caçar, parece que se aproxima desse pai perdido e amado, acima de tudo inigualável. Os discursos pomposos de sua mãe, o elogio incessante que fazia a ele, deixaram uma marca indelével na mente da criança, daquelas que aniquilam qualquer tentativa ambiciosa. Ele seguiu essa sombra paterna que pairava, que ele sabia que jamais poderia alcançar, mas que pensava poder imitar dignamente.

Anselme continua dormindo em sua cama de campanha. As molas estão gastas e ele tem dor nas costas. Já cogitou voltar para seu escritório, no andar de cima, e ainda não o fez. Estou expiando minha culpa, diz a si mesmo. Não a de ter engravidado Céleste, mas a de não ter revelado sua suposta infertilidade a Victoire. E, no entanto, sou pai de um meninão, de um Boisvaillant que ocupará o meu lugar. Por enquanto, ele ainda não conseguiu se aproximar realmente do bebê. O ciúme doentio de Victoire, os documentos que o consomem, além de uma certa timidez, o impediram. É uma questão para as mulheres, ele se assegura, quando começar a andar e a falar eu estarei ao seu lado.

À tarde, ao passar perto da sala, ele ouviu as notas do piano e viu Victoire de costas, seus braços atacando com movimentos enérgicos, e o pequeno embaixo, preso naquela tempestade furiosa de notas. Anselme voltou a falar sobre sua ideia de retrato, mas Victoire retrucou um "não" intransigente. Para convencê-lo, ela acrescentou, interrompendo por alguns instantes a sonata de Mozart, que "os retratos pintados são para os velhos. Eu quero uma foto com Adrien, com você também. Assim, ele terá a imagem de uma família unida, de uma família moderna. Não é isso que nós somos?". Ela não esperou a resposta de Anselme e de imediato voltou a mergulhar no fluxo de semicolcheias que, desde o nascimento de Adrien, a completa mais que qualquer outra coisa. Anselme foi embora pensando que nunca conseguiria entender nada sobre a esposa, que ela lhe escapava por completo.

Quando chega na estrebaria, Pierre já está lá.

— Olá — ele diz ao entrar.

Os cavalos estão bonitos, selados, escovados, os músculos enérgicos, a fumaça nas ventas. Os cães correm em todas as direções. Os dois homens, com o rifle no ombro, deixam a propriedade, seguidos pelo bando. Eles trotam ao longo do Cher antes de se embrenhar no bosque. O nevoeiro que encobre toda a paisagem deixa pouca esperança de abater um animal. Mas eles estão lá por outras razões. Anselme, para cavalgar perto de Pierre, para ter a oportunidade de falar com a esperança, apesar da enfermidade de seu companheiro, de ser compreendido. E Pierre, pela excitação que sente na epiderme ao estar a cavalo no amanhecer. Uma excitação que o coloca no meio da guerra. Esse conflito que ele odeia no seu mais profundo ser, que o fez cruzar com a morte a todo momento, que o forçou a todo tipo de humilhação, de subordinação, e que, no entanto, também o ligou a outros, àqueles homens com quem ele viveu intensas emoções coletivas, gravadas para sempre na memória de seu corpo, como a do medo antes do ataque, como a da alegria de estarem vivos juntos, rindo às gargalhadas, dançando, berrando que zombaram da cara dela, da morte, que ela não nos venceu, ao menos não dessa vez.

A guerra aproxima terrivelmente. É nela que se dizem coisas que nunca seriam ditas em tempos de paz, esses segredos que não se revelam — como fez o pai de Anselme perto de uma fogueira, durante uma daquelas bebedeiras meticulosas, que deixam o sujeito com as tripas reviradas e a alma estraçalhada.

As noites passam em uma imobilidade singular, ao ritmo da lua que pousa na árvore. Adrien cresce, bebe, come do jeito certo. Sua vida não está mais em perigo, mas as mulheres continuam a se ver. A criança agora não passa de um pretexto para seus encontros noturnos.

Uma noite, logo depois de Céleste colocar Adrien em seu cestinho e reocupar seu lugar na cama, Victoire quebra o silêncio carregado de ternura e de medos:

— Essa pele, essa suavidade, eu não sei nem por onde começar...

Então Céleste, num gesto decidido, coloca a mão de Victoire sobre seu seio. Esse gesto sela o amor entre elas.

Victoire toca o seio, e a pele ganha vida sob seus dedos, ela se arrepia. O mamilo, que o frio do quartinho já havia enrijecido, incha, e Victoire não pode deixar de colocá-lo suavemente na boca. Nesse seio, debaixo desse seio, se esconde um coração palpitante. Victoire ouve. Ela explora, dá voltas, mordisca essa extremidade abençoada que se ergue sob sua língua.

Céleste, perdendo o fôlego, está impressionada com o prazer que surge. Ela se abre, se multiplica.

Como é que eu nunca soube disso? Como é que ela sabe disso?

Victoire adivinha, sente esse corpo com segurança. Há uma certeza nela que a ultrapassa. Ela segue seu instinto sem hesitar.

A respiração de Céleste acelera. De entrecortada, vai se tornando mais profunda. A mão de Victoire passa agora pela barriga. Essa mão, de repente enorme, cobre sua epiderme inteira. Submeter-se sem que qualquer parte dela resista. O desejo está aí, subjugando uma e outra. Elas nunca teriam imaginado que seus corpos seriam capazes de um tal abandono, daqueles que prendem, inundam. Victoire, eu nunca ousei pronunciar o seu nome. Disse para eu chamá-la de "você", mas eu não sei, eu não quero... Victoire, sua mão na minha barriga me queima, parece que está penetrando o que há de mais profundo no meu corpo... Os suspiros de Céleste marcam o ritmo de seu pensamento.

A mão de Victoire continua sua exploração em direção a um ponto preciso: o sexo de Céleste. Ela se lembra de sua visão no espelho, da aversão que sentiu pelo seu. Victoire também se lembra de vê-la nua em seu quarto, tentando se esconder com o espartilho. Essa imagem a visita com frequência. Como a achou linda! Nas primeiras noites, queria se fundir com Céleste, sentir aquele amor nascente sem palavras, sem gestos. Mas agora esse sexo está ali, perto dela, junto dela.

Por longas noites, elas se observaram tanto, descobrindo uma à outra nos mínimos detalhes, e agora que seus dedos e suas línguas finalmente se soltam, elas se conhecem perfeitamente.

— Meu coração entrou no seu corpo. Eu toco em você e é a mim que eu acaricio — sussurra Victoire quando a penetra com os dedos.

Um som rouco sai da garganta de Céleste, o de um prazer aprisionado.

Victoire, continue. Que sua mão não pare nunca essa aventura. Procure ainda mais longe, a vida está escondida aí, entre dobras e mais dobras.

Ao penetrar Céleste, Victoire deixa entrarem junto o tempo, as noites e os dias, o cortejo da eternidade.

As duas mulheres mergulham uma na outra, atordoadas de amor. Esse vínculo que agora une seus corpos rompe num instante a proibição de seu amor e das convenções sociais. Todas essas espessuras inúteis que, quando elas estão nuas, permanecem costuradas às suas roupas.

Victoire está impressionada com a doçura de Céleste. Uma doçura úmida na qual ela pode entrar e sair como bem entender.

— Eu nunca toquei, nem vi algo assim tão doce... Céleste, eu te amo.

Quando disse isso, todo o corpo de Victoire tremeu, como se fulminado por aquela verdade. O amor está ali, aqui, com elas.

E a beleza dessas palavras, sussurradas no segredo do sono do casarão burguês, faz Céleste ter a audácia de se levantar, de colocar delicadamente Victoire deitada de costas e de mergulhar a boca pela primeira vez em seu sexo, até perder o fôlego, até ouvi-la gritar de alegria.

Todas as noites, elas se amam sem descanso, sem medo. Seus corpos, depois de anos de inexistência, se estendem e se expandem. Elas vibram junto, num uníssono que as leva até o limite de si mesmas, num lugar tão profundo onde se perdem a cada noite e incessantemente se encontram.

Poucas palavras entre elas. Victoire é a mais faladora. Sua ascendência social lhe dá essa liberdade. Céleste não reza mais, deixa Deus de lado. Vive numa euforia permanente, apesar das poucas horas de sono, apesar dos dias extenuantes, atravessa o tempo correndo na ponta dos pés, a mente preocupada apenas com o que ela às vezes chama de "minha Victoire". Sua bela Victoire.

Victoire, amando Céleste a cada noite, sendo tão descontroladamente amada por ela, começa a apreciar esse corpo que ela achava inútil. Atreve-se a se olhar nua, e ele se revela para ela. Já não tem medo da imagem outrora fragmentada. Ela se torna una. O amor lhe deu, de repente, uma identidade própria. Até então, ela apenas tateava, cega para os outros e para si mesma. Céleste, ao acariciá-la, definiu as fronteiras de seu corpo. Ela as modelou, apalpou, adorou, beijou, lambeu, mostrando-lhe assim o ínfimo espaço entre ela e o mundo.

Todas as manhãs, Victoire olha para seu sexo, toca seus pelos com uma indulgência nova. Pensa na alegria que Céleste lhe dá, nos gritos que saem involuntariamente de seu corpo, nessa vida doida fervilhando sob sua pele. Todos esses anos vivendo amordaçada. E então, ali, essa satisfação ao alcance da boca, renovada a cada noite. Com as costas da mão, Victoire acaricia as coxas, depois segura os seios. Sorri, se sente bonita, finalmente. Veste um roupão e toca a campainha. Huguette bate na porta em seguida.

— Huguette, tenho uma ideia maluca para hoje! Pergunte para Pierre se ele não arranja uns galhos para queimar, ou então madeira seca. Nós vamos fazer uma fogueira no jardim!

— É mesmo?

Huguette não sabe o que responder. A excitação que percebe na voz de Victoire a preocupa.

— Vou tomar meu chá, depois você volta para me vestir e nós encontramos Pierre lá embaixo.

— Muito bem, madame.

No momento em que Huguette se prepara para fechar a porta, Victoire acrescenta:

— E diga para Céleste que eu quero vê-la agora, por favor.

Huguette para de repente:

— Ela fez alguma coisa errada?

Madame e Céleste nunca se veem sem que esteja junto. Todas as ordens são validadas por ela. Victoire vê o corpo de Huguette enrijecer.

— Não se preocupe, é sobre um presente que eu gostaria de dar para ela. Afinal, depois de tudo o que ela fez por nós...

O corpo da empregada relaxa e, sem sequer se virar, ela fecha a porta dizendo:

— Ela é que deveria agradecer, isso sim. Vou procurá-la e mandar que venha imediatamente.

Alguns minutos depois, Céleste bate suavemente na porta. Não se atreve a cruzar o umbral.

— Ei, não fique aí parada, entre!

Céleste olha para a direita e para a esquerda antes de fechar a porta, para se certificar de que ninguém ouviu o tom familiar com o qual Victoire se dirigiu a ela. Está intimidada com essa intimidade diurna, e Victoire dá uma gargalhada.

— Meu Deus, você ficou vermelha! Está envergonhada, é isso? Já eu, bem, de jeito nenhum, veja só! E hoje eu tive uma ideia que você vai adorar! Decidi queimar todos os meus espartilhos! Estou cheia desses cordões, estou cheia de ter que pedir para Huguette me ajudar. Já se deu conta de que eu tenho vinte e quatro anos e nunca me vesti sozinha?

Céleste, atônita, murmura:

— É verdade que é uma loucura...

— Venha aqui me ajudar, vamos tirá-los das caixas. Não preciso mostrar onde eles estão guardados, eu acho...

Céleste fica vermelha de novo.

— Estou brincando... Chamei você por outra coisa... Tenho uma tarefa para você. Enfim, *tarefa* não é a melhor palavra...

Victoire a olha diretamente nos olhos antes de continuar:

— Um presente, melhor dizendo...

Depois de um longo silêncio, Victoire murmura:

— Quero que você tire a roupa e, pela última vez, vista o espartilho. Só para mim...

— Mas, madame, e se alguém chegar!

Victoire já trancou o quarto. Ela se encosta na porta como no dia em que a flagrou:

— Vamos, tire a roupa e vista aquele que está na cama...

Instantes depois, Céleste desfila nua, vestida apenas com o espartilho que Victoire amarrou cuidadosamente em suas costas.

— Como você é linda, Céleste... Da primeira vez você já era, mas agora que eu te conheço, você é ainda mais.

Estão todos no jardim, exceto Anselme, que trabalha. Um pouco atrás, longe dos canteiros de flores, foram colocadas as tábuas que Pierre encontrou. As caixas dos espartilhos serviram como acendedores, há também gravetos, papéis velhos guardados há muito tempo, jornais que se acumularam durante todo o inverno. É uma fogueira, e estão todos animados vendo as chamas subirem. Até Huguette, que não estava conseguindo esconder sua desaprovação, de tanto que essa ideia lhe parecia absurda, começa a sorrir. É a primeira a aplaudir quando Victoire, com um gesto enérgico, joga um espartilho no fogo.

— Oh, muito bem, madame! A senhora está certa. E finalmente vai poder respirar!

— E, principalmente, vou poder me vestir sozinha!

Pierre observa Victoire. Percebe que essa mulher tão elegante, que de certo modo governa suas vidas, está subordinada às mãos de sua esposa. Como uma criança, toda manhã ela precisa de Huguette para se vestir. As existências de todos estão estranhamente entrelaçadas, é isso que ele entende enquanto ela joga um segundo espartilho, com uma grande gargalhada. Todos são dependentes uns dos outros, cada um à sua maneira, ligados pelos usos e costumes, ligados pela posição social. E agora que pode se vestir sozinha, ela vai se libertar do domínio de Huguette? Como esse universo feminino está longe do dele! Ele, que gosta do aroma do couro, dos silêncios, da natureza naquilo que há de mais selvagem e cru. Esses detalhezinhos todos, estou me lixando, ele conclui.

Huguette, Céleste e Victoire se deram as mãos e estão dançando ao redor das chamas. Elas cantam, rindo:

— Bombeiros, socorro, meu espartilho está queimando! Bombeiros, socorro, meu espartilho está queimando!

Anselme, alertado pela gritaria, aparece em seguida. Chega com sua pena na mão:

— Meu Deus, o que está acontecendo aqui? Estou ouvindo vocês lá do meu gabinete. Pensei que alguém tivesse se machucado!

— Não, é só que eu decidi queimar todos os meus espartilhos! E olha como eles queimam bem!

Anselme foi pego completamente de surpresa pela extravagância da esposa. Sua chegada quebra a euforia em que estavam. Agora observam, com os braços pendentes, o último espartilho ser consumido.

Victoire rompe o silêncio agradecendo a Huguette, Céleste e Pierre pela ajuda. Diz para voltarem às suas tarefas e pede desculpas por tê-los incomodado. Depois que todos se afastaram, ela se vê sozinha com Anselme e continua:

— Isso me apertava, você não pode imaginar! Lembra do vestido de Odette quando eles vieram jantar, faz alguns meses?

— Não, nem um pouco. E por que você queria que eu lembrasse do vestido dela?

— Porque ela não estava usando espartilho e aquele vestido era esplêndido. Um modelo de Poiret.

Victoire mente com consciência. Ela não quer uma cópia feita pela costureirazinha de Tours. Ela quer um verdadeiro.

— E daí? — responde suavemente Anselme.
— E daí que eu quero um também!
Victoire percebe que esse argumento não será suficiente. Ela procura por alguns instantes, então encontra um que lhe parece imbatível:
— Você sabe, para esse retrato, essa fotografia que nós vamos fazer. Eu queria usar um vestido desses, sem espartilho. Eu quero que Adrien se lembre de mim como uma mulher moderna. — Então, bem baixinho, ela acrescenta:
— Como uma mulher livre...
Anselme olha para ela com os olhos arregalados:
— Uma mulher livre? Mas, querida, você já não é? A sua liberdade depende de um vestido?
— Anselme, há coisas que você não consegue entender...
Ele ergue os ombros:
— Olha, faça o que você quiser. Se isso te deixa feliz, é tudo o que importa para mim... Mas *livre*... eu realmente não entendo...

Victoire pega no braço dele, e atravessam o jardim em direção à casa. Diante do patamar, ela diz, depois de lhe dar um beijo na bochecha:
— Vou organizar minha viagem a Paris na próxima semana.
— Sua viagem a Paris! Que viagem a Paris?
— Ora, para o vestido! O costureiro é de Paris. Eu vou na semana que vem.

Ela sobe os degraus num passo animado, deixando o tabelião atordoado. Como pode ser possível que, toda vez que conversamos, eu não entendo nada? Minhas desavenças de cartório são ninharias ao lado dessas histórias de moda... E ele volta, num passo lento, ao seu gabinete.

Victoire está feliz e vai tocar piano. O pequeno Adrien, deitado no berço, tem um sorriso nos lábios. Minha vida está começando a ficar simplesmente perfeita, ela diz para si mesma.

Quando Victoire se senta ao piano naquele mesmo dia, ela se pergunta: Céleste, onde é que você encontra essa força que nos faz viver, Adrien e eu? Que tipo de mulher você é, para dar tudo e mais um pouco?

Victoire progride. Ela não fez aulas, mas a obstinação assídua e as horas praticando fizeram com que ousasse buscar em sua biblioteca a partitura das sonatas de Beethoven. Seu professor lhe tinha mostrado, em outros tempos. Ele apontava com o dedo enquanto dizia, com um olhar severo: "O Graal, minha pequena, o Graal!". E, finalmente, ela encontrou seu Graal — nem nas teclas pretas, nem nas teclas brancas, mas lá em cima, naquela caminha de ferro, entre os braços de Céleste. Seu próprio Graal.

Pegou a partitura com firmeza e a abriu, isso já há alguns dias. Teve que forçar um pouco as páginas para poder ajeitá-la direito na estante do piano. E observou as notas por um longo, longo tempo, sem colocar um só dedo sobre as teclas. Durante três dias, ficou sentada na banqueta, decifrando, deixando as mãos correrem sobre suas coxas, sentindo os dedos se moverem em seu espírito. Deixar a música invadi-la. Passar horas assistindo ao primeiro movimento. Dizer a si mesma que é a homenagem absoluta ao que ela sente. Seu professor, com uma intuição surpreendente, já lhe dizia isso na sua adolescência.

Victoire não toca o piano, mas vibra ao som da sonata

escrita para elas duas, a *Sonata ao luar*. Então, sim, o Graal está aí, ao alcance das mãos. Essa sonata, esse movimento, ela vai tocá-lo hoje, agora. Acariciar as teclas e dar início ao fluxo incessante, contínuo, inesgotável das tercinas. Beethoven a guia com essas palavras colocadas acima do primeiro pentagrama: *Si deve suonare tutto questo pezzo delicatissimamente e senza sordino*. Sim, essa peça foi escrita para elas, uma delicadeza infinita, sem surdina. Mais exatamente, para eles três. As três colcheias da tercina estão agrupadas, cada uma resultando da outra. Victoire, Céleste e Adrien. Adrien, sem quem Céleste e Victoire não teriam se amado. Adrien, que, durante todas as horas em que ela martelou sobre as coxas o primeiro movimento, ficou em silêncio. Tão concentrado quanto ela. Observando-a de seu cesto de vime colocado sobre o tapete persa. Ele a vê se mexendo sobre a banqueta, ao ritmo de sua música interior. E hoje, ele a vê levantando os braços. Ela está pronta para tocar todas as notas. Aprendidas uma a uma nos dias anteriores, sentidas uma a uma. Elas estão todas ali, nas pontas dos seus dedos, sob esse luar que os iluminará novamente nessa noite. Todos os três, tercinas de uma história milagrosa.

Huguette, atraída pela beleza dessa música, fica parada no umbral da porta com sua bandeja. Ela ouve e, acima de tudo, percebe a gravidade do rosto de Victoire, completamente absorvida pela delicadeza com que as notas saem de suas mãos. Colocar delicadamente a polpa dos dedos sobre a tecla, pressionar apenas o necessário para atingir a alma. Apenas o suficiente para, em pleno dia e dentro de si, abrir a porta do quarto de Céleste, o suficiente para ouvir o piano desfiar a história delas, antecipá-las, o suficiente para se emocionar por ter uma alma tão sensível, uma alma que ela ainda está descobrindo. Deixar-se levar pelo fluxo das tercinas. Essas notas que ficaram trancafiadas numa partitura por tantos e tantos anos e que hoje a revelam profundamente.

Huguette observa os gestos relaxados dos braços, seus apoios, o pé pressionando o pedal, e a música tão bonita que surge. Essa música, que até então protegia Victoire, a conduz até Céleste, quando chega a hora de ficarem juntas.

As notas jorram até o silêncio final. As mãos de Victoire ficam imóveis no ar e então, num novo ímpeto, ela se levanta, pega Adrien nos braços e, com um gesto lento, o aconchega em seu peito.

Huguette, desconcertada, recua, deixando-os finalmente se abraçarem, se amarem.

Desde que Victoire pôs na cabeça que faria a viagem a Paris, ela organizou tudo. Marcou um horário no ateliê de Poiret. Olhou todas as revistas de moda, foi visitar Sarah para lhe pedir conselhos — odiando-se a cada instante, de tanto que a amiga não parou de humilhá-la por conta de sua inexperiência. Sarah, em suas explosões ambivalentes de simpatia, repetia para ela: "Mas o que está acontecendo com você, minha querida? Por que esse interesse louco por roupas tão de repente, se você sempre se vestiu como no século passado?".

Magoada, Victoire esteve perto de contar tudo para ela: a descoberta de seu corpo, o gosto doce do sexo de Céleste, seus prazeres, sem que ninguém soubesse de nada. O desejo de gritar na cara dela: "Eu amo e eu existo! Você não sabe de nada e, além disso, ninguém sabe de nada!", mas a impossibilidade de fazê-lo. Então, encolher os ombros e sorrir. Pegar as informações e não esquecer que hoje ela é muito mais feliz do que essa cocote que preferiu se chamar Sarah porque Odette a fazia morrer de tédio.

Para que Anselme aceite a organização dessa viagem sem ele, Victoire decide fazer a sorte jogar a seu favor. Avisa Huguette que, nessa noite, eles tomarão um aperitivo sozinhos na sala de estar e que, aliás, já está na hora de trazer mais lenha para a lareira.

Foi à cozinha para verificar se as torradinhas de patê estavam perfeitamente arrumadas. A garrafa de Quarts-de--Chaume está aberta. Victoire se maquiou com cuidado, não esqueceu o colar de pérolas que saiu tão caro, ao que parece, presente de Anselme pelos três anos de casamento. Meu Deus, como eu era jovem, disse para si mesma enquanto o colocava, embora isso tenha sido há apenas dois anos...

Quando Anselme chega, depois do dia no gabinete, Huguette avisa que madame está na sala de estar para o aperitivo. Sem mais delongas, ele vai encontrá-la. Victoire, em pé perto da lareira, brinca mecanicamente com uma pequena pastora de porcelana perdida no meio de uma multidão de outros bibelôs.

— Como você está linda esta noite, Victoire!

Um pouco teatral, ela se aproxima dele e dá um beijinho na sua bochecha. Ele a olha direto nos olhos:

— Meu Deus, já estou temendo que você tenha algo para pedir...

— De jeito nenhum! Por que você acha isso?

Victoire faz soar a sineta. Huguette aparece imediatamente.

— Traga nos o aperitivo, por favor.

— Já estou indo, madame.

Victoire pega o marido pela mão:

— Vem sentar aqui comigo para me contar o seu dia.

— Essa é a primeira vez que você se interessa pelos meus negócios...

Victoire decide não responder esse comentário maldoso, ela continua seu caminho, segura de si:

— Me conte como está a sucessão de Poitevin. Parecia não estar indo bem...

Depois de estar bem acomodado, e na segunda taça de Quarts-de-Chaume, Anselme esqueceu completamente seu sarcasmo. Ele explica, nos mínimos detalhes, as cláusulas de suspensão, os vícios de forma, as alíneas dessa sucessão na qual trabalha desde o falecimento da tia Poitevin, sem filhos, cujos sobrinhos disputam até a mínima migalha.

Victoire o deixa falar, balança a cabeça, exclama sempre que acha oportuno. Anselme está encantado por poder aproveitar a escuta tão atenta de sua esposa. A ocasião é rara. Quando brindam pela terceira vez, ele diz, enquanto levanta o copo bem alto:

— Veja só, você é uma mulher realizada agora!

Efusivo, ele continua:

— Eu sinto que você me perdoou. Preciso que você saiba, Victoire, que, neste exato momento, eu sou o mais feliz dos homens.

— Que bom, eu também estou feliz.

Ela suspira de contentamento antes de continuar:

— Eu organizei tudo para a minha viagem. Você sabe, eu vou sair por pouco mais de um dia. E vou pensar em você o tempo todo, é claro...

Ela baixa a cabeça num movimento ingênuo e toca de novo a sineta.

— Está faltando alguma coisa, madame?

— Não, Huguette. Aproxime-se. É sobre a minha viagem a Paris. Vou sair na próxima quarta-feira. Ficarei fora por uma noite. Gostaria que Adrien ficasse com a senhora, em sua casa. Para não incomodar monsieur, que trabalha no dia seguinte.

— Com certeza, madame.

— Uma última coisa...

E ela diz como se não fosse nada:

— É claro que eu preciso de ajuda para carregar as minhas coisas, e não posso ficar sozinha, isso seria inapropriado. Avise Céleste que ela irá comigo a Paris.

No início da manhã da quarta-feira seguinte, elas estão prontas. Pierre as levará à estação mais próxima para que peguem o trem até Paris. Chegarão bem no horário marcado para o atendimento na Rue Pasquier, no ateliê de Paul Poiret.

Nesse dia, tudo é novo para Céleste. Ela não sabe como se portar. Na caleche, senta-se muito rígida, as costas retas, os joelhos grudados, todos os músculos tensos. Victoire a observa de canto de olho:

— Vai dar tudo certo, você vai ver...

Céleste, com o rosto voltado para a janela, observa as paisagens que passam. Victoire se sente obrigada a continuar:

— Você não acha gostoso o cheiro dessa caleche? Um perfume de couro, tabaco, não sei bem... Alguma coisa reconfortante. O mesmo efeito de quando você se senta numa boa poltrona depois de uma caminhada longa...

Céleste virou-se para ela enquanto ela falava. De repente, sente medo da loucura de Victoire. Medo também de si mesma, do que os outros vão dizer, dessa cidade desconhecida para a qual se dirigem. A capital.

Após um longo momento de silêncio, ela murmura:

— Acho que eu não preciso de tudo isso...

— Dá para ver que você está preocupada.

Victoire segura as mãos de Céleste entre as suas, tentando ser persuasiva:

— Vai ser o nosso momento. Além do mais, eu quero!
A loucura daquele amor de repente coloca Céleste contra a parede:
— Eu quero descer. Agora.
— Não, por favor...
Os soluços encobrem a voz de Victoire:
— Isso tudo, eu quero fazer por você, com você. O vestido, essa única noite em Paris, é para nós. Para que a gente possa relembrar muitas vezes, para depois...
— Para depois o quê?
— Para depois.
Céleste volta de novo seu olhar para a paisagem. Quanto mais os cavalos avançarem, mais difícil será para descer. Ela conta as passadas. Se chegar a cinquenta, será tarde demais, ela pensa. No silêncio da caleche, ouvem-se apenas os cascos golpeando o chão. Quarenta e sete, quarenta e oito, quarenta e nove...
Ela sorri timidamente para Victoire:
— Vou ficar.
— Obrigada, obrigada — Victoire sussurra, num misto de alegria e choro.
Elas se dão as mãos e não dizem mais nada até a estação. Chegando lá, elas se despedem de Pierre, que voltará para buscá-las no dia seguinte, à tarde.

Quando embarcam no vagão da primeira classe, Céleste ainda hesita em seguir. Victoire insistiu, dizendo: "Mas o que é que eu vou fazer sozinha na primeira classe, e você na segunda? E desde quando você me contradiz? Sou eu quem decide!".

A coluna de Céleste, já muito reta na caleche, agora está totalmente rígida. Ela não dá um pio sequer e permanece grudada no encosto de veludo, enquanto as conversas entre os passageiros seguem em bom ritmo. Ela sabe que Victoire a está provocando quando diz em alto e bom som que, realmente, as empregadas de hoje não são mais o que eram! E, é claro, essas mulheres concordam, uma delas acrescentando: "É exatamente isso! Eu falei sobre isso outro dia com minha mãe. Tudo o que importa hoje em dia é o dinheiro e o tempo livre! Antes, as criadas nos agradeciam por lhes oferecermos um teto! Porque é disso que se trata. Nós oferecemos um teto, e com frequência uma família! Mas o que é que nós vamos querer, o reconhecimento não existe mais hoje...".

Céleste, com as botinas apertadas uma contra a outra e as mãos postas sobre o vestido escuro, está mais vermelha que um pimentão. Gostaria de desaparecer completamente no encosto do seu assento, mas Victoire continua:

— Ainda assim, eu encontrei uma pérola. Ela está aqui... — ela diz e aponta para Céleste. — Vejam como ela se comporta bem, como ela é discreta...

E as mulheres ficam encantadas: "Que sorte você tem!". A viagem parece tão curta para Victoire quanto interminável para Céleste.

O atendimento no ateliê de Poiret está à altura das expectativas de Victoire. A atenção, os vestidos, a beleza e, especialmente, uma certa ideia sobre a mulher. A mulher moderna com que ela sonha. Hoje, em Paris, no meio da multidão anônima, ela será uma delas, acompanhada pelo seu amor, Céleste.

Victoire escolheu um vestido azul profundo, a cintura alta com uma faixa turquesa, todo pespontado com uma fina renda branca. O corte é reto até os tornozelos. O modelo cai perfeitamente bem nela, destacando seu corpo esguio. As medidas são tomadas, ela terá seu vestido no mês seguinte. Agora elas podem ir descansar no hotel. Victoire explicou que queria um quarto com duas camas, que tinha medo, que não sabia dormir sozinha, que, na ausência de seu marido, sua empregada sempre dormia perto dela. Elas têm uma noite inteira pela frente. A mais linda.

— Como eu tinha o plano de ir a um restaurante, mandei aumentar para você um dos meus vestidos, você pode usá-lo sem espartilho.

— Mas eu não tenho vontade nenhuma de ir a um restaurante! Eu nunca fui a um na minha vida...

— Mas que coisa, você consegue ser uma desmancha-prazeres!

Victoire procura em sua mala, tira em seguida um vestido de seda lilás. O corte é discreto, as mangas compridas, com um decote decente.

— Olha como é bonito!

Céleste ergue os ombros. Victoire continua:

— Está chateada? Você parece uma menininha carrancuda! Está com medo?

Magoada, Céleste agarra o vestido.

— E o que é que você sabe sobre o medo? — ela diz, olhando-a nos olhos. Está prestes a contar sobra a angústia que a tomava quando ouvia os passos pesados de Anselme no corredor. Também tem vontade de gritar sua solidão na granja, a certeza que tem com frequência de não ser nada, inexistente. O amor que sente por Adrien, que ela tenta esquecer. Esse buraco que ela tem na barriga desde seu nascimento. Sua desolação com essa falta, sua incapacidade de entender esse vínculo, de encontrar um lugar para ele. Mas se contém e acrescenta: — Não me fale mais sobre medo, Victoire.

— Me desculpe. Mas se deixe levar, por favor...
E Céleste se deixa levar. Ela coloca o vestido. Victoire aplaude ao vê-la.
— Estou tão feliz, eu tinha certeza! Vou fazer o seu cabelo agora, sente aqui neste banquinho.
Céleste suspira e senta. Victoire penteia com delicadeza seus cabelos longos e fica em êxtase:
— Sabia que eu nunca tinha visto você de cabelo solto? É interminável!
O cabelo loiro acinzentado cai pelas costas de Céleste e fica suspenso na cintura. Victoire o ajeita em um coque solto, próximo à nuca. Depois ela maquia levemente o rosto de Céleste. Pó, rouge nas bochechas e nos lábios. A empregada não consegue deixar de dizer:
— Agora eu entendo por que você leva tanto tempo se preparando pela manhã. Como deve ser chato fazer isso todos os dias...
— Shhh! Você vai se surpreender com o resultado.
Ela a enfeita então com um colar e brincos. Depois admira seu trabalho, exclamando:
— Você está perfeita, perfeita! Olhe no espelho!
Céleste se levanta e contempla seu reflexo no espelho que fica sobre a lareira. Primeiro ela fica sem palavras, tamanha a impressão de estar fantasiada e, de repente, começa a rir:
— Muito bem, Victoire — ela diz, girando em torno de si mesma. — Agora eu sou uma mulher... Como você!
O incômodo que assaltava Céleste até agora desaparece sob o vestido e o rouge. Sua nova roupa lhe dá uma leveza que ela não conhecia. Efêmera, ela sabe, mas verdadeira por algumas horas.

Depois que Victoire, por sua vez, fica pronta, uma caleche as conduz até o Maxim's. O lugar onde você tem que ser visto. Ao ler as revistas de moda, Victoire percebeu que muito se falava sobre esse restaurante e sobre as pessoas que o frequentam. Talvez elas as vejam nessa noite? A caleche para no número 3 da Rue Royale. O letreiro brilha intensamente. Elas estão lá.

As duas mulheres se acomodam no bar. Victoire disse ao gerente, de um jeito muito natural, que primeiro queriam beber algo. Elas sentam nos bancos altos. Há ali uma pequena aglomeração feminina, de onde se distinguem apenas os vestidos bordados, de tanto que os chapéus, véus e enfeites de cabelo escondem seus rostos. Essas mulheres têm todos os atributos para se sentirem confortáveis num lugar desses. Observando-as, Victoire de repente tem uma revelação. É isso, diz para si mesma, estas são as mulheres do submundo, ou melhor, as cocotes. E o rosto de Odette passa em sua mente. Então deve ter sido num lugar como esse que Joseph se interessou por ela.

Victoire pede duas taças de Pommery. Céleste nunca tinha bebido champanhe.

— Isso arde — ela exclama, petiscando as batatas fritas que estão nas cestinhas sobre o balcão.

— Está vendo, Céleste, essa é a vida que a gente poderia ter. Você não acha que assim, discretamente, a gente poderia se amar sem ninguém perceber?

— Por quê? Alguém percebeu em Saint-Ferreux? De qualquer forma, é verdade que champanhe e batata frita, isso cairia muito bem...

Céleste, cujo humor ficou leve, toma um gole, devora seus medos e se aproxima de Victoire para beijar seu pescoço.

— Você perdeu a cabeça ou o quê?
— É para ver se alguém percebe...
As conversas continuam. As duas mulheres fazem parte desse mundo festivo e colorido e, ao mesmo tempo, se sentem provincianas, fora dele.
— Viu só? Ninguém viu nada.
E Céleste, num impulso apaixonado, dá um beijo na boca de Victoire. Um beijo longo, profundo, fora do tempo, que as leva ao limite de si mesmas, lá onde a eternidade aguarda pela mais bela lembrança delas.
Quando abrem os olhos, não há ninguém voltado para elas para julgá-las. À luz discreta do Maxim's, os amores se fazem e se desfazem sob uma indiferença total. Céleste e Victoire cruzaram o limiar, passando do exterior bem comportado para um interior onde a volúpia revela a promessa de uma vida em que seria possível se amarem sem qualquer restrição.

Nessa mesma noite, em Saint-Ferreux, Anselme aquece em suas mãos as paredes arredondadas de um copo que contém um Bas-Armagnac de 1870, ano do seu nascimento. E também da morte do meu pai, ele pensa enquanto faz o líquido dourado girar. Abre essa garrafa em raríssimas ocasiões.

A última vez que ficou sozinho em casa foi há um bocado de tempo. Sua memória não consegue determinar a data exata, de tanto que ela se extraviou nas brumas de suas lembranças.

Toma um gole enquanto pensa que, nessa noite, ele lamenta a ausência de Céleste, cairia bem fazer-lhe uma visitinha. Sorri. É muito corajosa essa Céleste. Deu a eles um filho sem contestar, sem exigir nada mais do que continuar trabalhando. Por Deus, ele quase poderia se sentir feliz. No entanto, alguma coisa o incomoda, um mal-estar furtivo que às vezes o assalta e que o impede de avançar como gostaria. Alguma coisa nessa casa que torna todos eles um pouco claudicantes... Mas o quê?

A casa a mantém oculta. Voltou a dormir em seu escritório. A cama de campanha do gabinete maltratou suas costas por muito tempo. Na estante envidraçada de mogno que guarda preciosamente a coleção de cachimbos de seu pai, escolhe o mais bonito, o de seu avô, esculpido em marfim, que passa de mão em mão, de homem para homem. Anselme diz a si mesmo que um dia será seu filho que, como ele nessa noite, encontrará ali o seu consolo, o de pertencer a uma família. Sentir-se sustentado, amado. Sim, amado. Além do mais, eu vou ficar vivo por bastante tempo, eu vou ver você crescer. Adrien, você terá a sorte de eu estar ao seu lado.

Na sua casinha no jardim, Pierre e Huguette, sentados nas cadeiras da cozinha, observam o bebê adormecido em seu cestinho. Puseram um tapete sobre as lajotas frias e o colocaram perto do fogareiro, aceso para a ocasião. Huguette contempla aquele rostinho, como o de uma boneca, os olhos fechados, a respiração regular. É a imagem perfeita da tranquilidade completa.

Como você é pequeno, como você é bonito, ela pensa, como eu lamento não ter guardado nenhum daqueles que te chamariam de "monsieur Adrien".

Pierre vê as lágrimas da esposa se soltarem dos cílios antes de estourarem no avental branco. Pega a mão dela e, com um barulho gutural, desenha com os lábios um: "Eu te amo, Huguette".

— Obrigada — ela responde baixinho.

E continua, enquanto ele lê em sua boca:

— Imagine essa casinha cheia de barulho, cheia de risos, longe dos nossos silêncios. Eles se agarrariam nas nossas pernas. Imagine as mãozinhas brincando com as tuas orelhas, teus dedos, teu bigode.

Pierre não a olha mais no rosto, ele baixa os olhos. Ela continua, no entanto:

— Escute com o coração o que eu vou dizer. Nossos

filhos teriam tido sucesso onde eu fracassei, eles teriam te devolvido a fala...

Ele mira o chão obstinada, não quer ouvir nem com os olhos nem com o coração. Ela não consegue entender.

Huguette retira bruscamente a sua mão da do marido. Como se sentiu sozinha quando abortou! Como sofreu! Cada vez mais. Quantas vezes amaldiçoou sua condição de mulher, de empregada? Por que não teve direito àquela felicidade que várias vezes a provocou em sua barriga? Anselme nunca ficou sabendo de nada, mas Pierre também não. Ela sempre acreditou que era um assunto de mulheres. Que, de certa forma, era culpa dela se seu corpo não fazia o que sua mente desejava: não ter filhos.

Pierre a vê tremendo. É verdade que existem coisas de um e de outro que eles não sabem, mas ele é o único que conhece uma parte da história. Está na hora, ele pensa. Pega de novo a mão dela com firmeza e a força a olhar para ele. Ele balbucia enquanto se esforça para articular cada sílaba. Ela vai entender, está acostumada, todos esses anos, a decifrar pelo menos o sentido geral dos seus miados. Mas, nesse momento, ele se esforça para ser o mais claro possível a fim de que ela entenda tudo:

— Você vê ele dormindo, mas não sabe com que ele está sonhando. Você vê ele respirando, mas não sabe de que ele vai morrer. E ele? Você realmente tem inveja dele, que está começando a vida sem saber quem é sua mãe? Ele tem uma, ele tem duas, não se sabe...

Hesita em continuar, ele cansa rápido. Mas é ela que agora está apertando sua mão:

— Você está certo, ninguém sabe nada sobre os outros...

Os olhos de Pierre ficam incandescentes:

— Quantas vezes a história precisa se repetir? Ele continua rápido demais, ela acompanha com dificuldade:

— A mãe dele não é a mãe dele, e para Anselme: o pai dele não é o pai dele!

— Do que você está falando?

Ele continua, a boca retorcida:

— Esses segredos num berço. Por quanto tempo? Por quanto tempo...

Victoire e Céleste não jantaram. Ficaram no bar petiscando as batatas fritas. Acabaram até conversando com suas vizinhas. Riram e beberam muito. Saem do estabelecimento numa doce euforia.

Agora estão sentadas no quarto do hotel. Cada uma em sua cama, a cabeça girando, os cabelos bagunçados. Com a alegria à flor da pele, rememoram os momentos que acabaram de passar.

Victoire tira os sapatos, ajoelha-se perto de Céleste e coloca a cabeça sobre os joelhos dela:

— Eu poderia ficar assim a minha vida toda.

Céleste acaricia seus cabelos. Victoire continua:

— A minha vida toda perto de você, em silêncio.

Elas se olham intensamente. Sabem muito bem que essa felicidade passageira terminará em breve, que elas fugiram de suas vidas por um dia e uma noite, mas que lá, em Saint-Ferreux, a realidade as espera. Então, melhor saborear esses últimos instantes de liberdade.

Elas se despem, desfazem os penteados, se preparam para a noite. Céleste coloca religiosamente seu vestido na mala de Victoire, exclamando:

— Minhas roupas de mulher, ao menos uma vez...

— Por quê? Você não se sente mulher?

Céleste pensa bastante antes de responder. Quer ser o mais precisa possível:

— Sabe, eu nunca me perguntei sobre quem eu era. Minha mãe sempre olhou para mim como algo que crescia. Eu poderia muito bem ter sido uma folhinha de relva...
Ela ri ao dizer isso, depois seu rosto escurece de novo:
— E acho que o meu pai nunca notou a minha presença. Então eu fui para a casa de vocês. Eu estava muito feliz, sabe. Minha mãe também. Não tínhamos mais com que nos preocupar, minha vida estava resolvida. E então, começaram as visitas de Anselme...
Victoire não consegue evitar se encolher. Céleste continua, apesar de tudo. Elas nunca tinham falado sobre as "visitas", e chegou hora.
— Ele foi o primeiro. Antes, ninguém. Alguns apalpões de um dos meus irmãos, mas nada como aquilo...
Ela respira profundamente. Victoire os vê no quartinho de cima. Céleste continua:
— Nada como aquilo, que machucasse tanto. Ainda assim, eu conseguia esquecer, pensar em outra coisa. Eu ia sempre para o mesmo lugar, a clareira que tanto gosto, na floresta perto da casa da família. Eu nunca detestei ele, não por completo, não a ponto de ir embora, eu achava que isso vinha junto com a nossa condição. Uma vez eu toquei no assunto com Huguette. Ela me disse para ficar quieta e manter a cabeça erguida. Ela estava certa, não tinha muito mais o que fazer...
— Eu não vou deixar ele te machucar nunca mais!
Céleste não escuta e continua:
— O resto você conhece. Mas tem uma coisa que você não sabe... Aqui, no meu coração — ela bate no peito enquanto diz isso —, aqui, bem firme, está a Virgem. Ela cuida de mim. Quando eu estou perdida, ela sempre me leva para a luz. Ela me levou até você.

— E no entanto...

Victoire não termina a frase. Por que lembrar agora que o amor delas é condenável?

— Céleste, meu amor, apesar de eu ter nascido numa casa muito mais rica que a sua, nós temos a mesma história, a mesma infância. A indiferença do meu pai, e depois a minha mãe... Você sabia que foi ela quem respondeu ao anúncio de Anselme no Le Chasseur Français?

— Eu sei, Huguette me contou...

— Isso significa que eu sou o quê? Nada? Que a minha opinião sobre a minha vida não conta?

Sua garganta se aperta. Ela quase chora. Céleste a toma nos braços. Victoire repete:

— Eu sou o quê? Uma coisa da qual conseguiram se livrar com a consciência tranquila? Me disseram: "Sorria, tenha filhos!". Nada mais. E, olhe só, eu não consegui. Sem você, nada. Nem o sorriso, nem Adrien. Por que mentiram tanto para nós durante a infância? Sobre a vida de casada, sobre as coisas que fazem a felicidade de uma mulher? Meu casamento com Anselme... — sua voz perdeu todas as ilusões.

Céleste responde com gentileza:

— A diferença entre nós duas é que nunca mentiram para mim, eu sempre soube que seria difícil...

Elas se deitam em uma das camas. Abraçadas uma na outra, continuam a conversa.

— Victoire, desde que a gente começou a se amar, eu não rezo mais. Não sei por que, eu me esqueço... Agora eu fico pensando em você o tempo todo. Eu faço o que tenho que fazer, converso com Huguette, lavo, cozinho. Do mesmo jeito que antes, e ainda assim... Tem outra coisa que começou a acontecer com a minha cabeça. É sempre você, a sua pele, o que aconteceu na noite anterior. Eu revejo tudo, sem parar, no dia seguinte...

Céleste abraça Victoire mais forte:

— Você é tão pequena, e ainda assim eu tenho a impressão de que nada pode te quebrar...

— Não, Céleste, é você que é forte, firme no chão. Eu sou frágil, para que a vida me leve para onde bem entender. E eu sinto tudo isso que você disse. Antes de você, eu vivia como um autômato. Um corpo desarticulado e sem alma. Eu preciso confessar uma coisa. Antes de você, quando eu me olhava no espelho, eu me achava feia. Tão feia que eu só me olhei nua uma vez. Meu corpo me parecia inútil. E então eu vi você, com a barriga crescida, tentando se esconder atrás do espartilho. Você estava deslumbrante. Eu pensei: é ela, a mulher. Eu não sou nada, poderiam ter me arrancado uma perna que eu não teria sentido nada. Sim, sim, eu garanto...

Elas riem baixinho. Estão bem.

— E então, você deu à luz Adrien. Você fez isso por mim.

— Eu fiz isso por mim também, por ele, por nós.

— Me deixe acreditar que você fez isso só por mim. Você não se dá conta, você me deu um filho...

Na escuridão do quarto, Céleste sorri.

À sombra desse hotel parisiense, dessas palavras sussurradas, seus corpos se amam com uma audácia nova.

Ao retornarem a Saint-Ferreux, há uma carta aguardando Victoire.

Saint-Aubin-de-Luigné, 25 de abril de 1909

Minha tão querida Victoire,

Como você está? E o pequeno Adrien? A felicidade que resplandece das suas cartas aquece meu coração. Sua vida com uma criança vai ganhar um novo ritmo e principalmente sentido. Imagino a alegria de Anselme, que esperou tanto tempo por essa paternidade. Eu sabia que a união de vocês seria dessas fecundas.

Veja só, você que tinha dúvidas, deve estar pensando que, no fim das contas, eu estava certa quando dizia que o apetite vem com a comida — com o amor é a mesma coisa. Olhe o belo casal que nós formamos, eu e seu pai! É claro que temos, às vezes, nossas diferenças, mas acabamos sempre concordando nas decisões importantes a serem tomadas. O que realmente importa é considerar a vida da mesma maneira. Mas não preciso convencê-la, você sempre foi uma criança comportada e obediente, e eu tenho certeza de que Adrien se parecerá com você.

Nós estamos ansiosos para ir vê-los em 8 de maio e aproveitar a ocasião para organizar, juntos, a cerimônia do batismo. Aliás, eu tenho uma notícia que você vai adorar. O padre

Gabriel vai se juntar a nós nessa expedição à casa de vocês. Ele está animado em revê-los, você e Anselme, além de conhecer Adrien. Não seria uma boa oportunidade de convidar o padre Roger também? Assim poderíamos discutir tudo, a missa, a lista de convidados, as flores, as amêndoas confeitadas, o vestido (talvez Anselme acabe concordando com o seu desejo de usar o nosso...).
Estou contando os dias para chegarmos aí! Enquanto isso, cuide-se. Descanso, caminhadas, e uma infusão de tomilho todas as noites. Lembra do que a vovó dizia? Não tem nada igual a isso para manter a forma.
Até breve, querida.
Muito beijos carinhosos meus e de seu pai. E todo o nosso carinho a Anselme.

Mamãe

P.S. Já estava esquecendo: sua irmã Adélaïde está noiva! Ela está encantada, não deixe de escrever para ela contando sua felicidade conjugal...

A carta congela o sangue de Victoire. Um retorno brutal à realidade, algo no tom leve de sua mãe deixa sua consciência sobressaltada. Seu coração está apertado, e esse corpo, que ela acabou de descobrir, de repente a envergonha.

Anselme está ali enquanto ela lê. Estão no vestíbulo, onde ele veio recebê-la. Ela já lhe disse que tudo tinha corrido maravilhosamente bem. Anselme vê uma sombra no rosto da esposa:

— O que é que te incomoda nessa carta?

Ela alcança para ele, sem uma palavra.

— Eu não entendo, você devia estar feliz! Sua família vem com o padre Gabriel. As pessoas mais queridas para você!

— É verdade, você está certo — e, mais baixo, para si mesma: — Preciso me recompor...

Huguette se junta a eles trazendo o cestinho. Quando Victoire se inclina, Adrien dá um grande sorriso. Esse amor simples, tão franco, essa alegria sem artifício a deixa perturbada. Ela balbucia:

— Meu Deus, como eu senti sua falta, como você é lindo.

Pega ele nos braços e não o larga o resto do dia. À noite, Anselme lhe informa que voltou a ocupar o escritório ao lado do quarto.

— Minhas costas estavam moídas com aquela cama de campanha, e acho que agora Adrien está dormindo bem...

E acrescenta, esperando que a resolução da esposa não seja eterna:

— Além disso, estou com vontade de ficar perto de você...

Victoire dá de ombros, está se lixando para as vontades dele.

No jantar, ela está febril. Embora, na véspera, estivesse tão certa de seu amor por Céleste, Victoire hesita. O poder desse sentimento se volta direto contra o seu rosto, que arde. Durante toda a noite, ela parece perdida em seus pensamentos. Anselme faz milhares de perguntas sobre a capital, o vestido, o trajeto. Ela responde com evasivas, com a desculpa de estar exausta:

— Acho que peguei um resfriado, vou para a cama.

E adormece num sono profundo, amnésico. Não escuta Céleste vir buscar Adrien, tampouco a escuta, ao amanhecer, recolocar o cestinho no lugar. Céleste esperou por ela a noite inteira. Quando compreendeu que não viria, começou a rezar. Pediu desculpas, chorando, por ter esquecido. *Santa Maria, mãe do mundo. Cuide de mim hoje e amanhã. Não me abandone...*

Ela devia estar cansada do longo dia de viagem, Céleste tenta se convencer. Sabe muito bem, no fundo de seu ser, que o amor delas dificilmente sobreviverá à realidade de suas vidas. No entanto, o que há de mais real que aquela emoção, que aquele sentimento recíproco que se apoderou delas? Céleste dorme por intervalos, embalada pela respiração regular de Adrien, com quem ela passará toda a noite. Seu mais longo tempo juntos. Essa criança que ela não se atreve a amar. Quando sua mente recai sobre ele, e ela se surpreende por estar perturbada, Céleste afasta imediatamente a imagem que se impõe em seus pensamentos. Às vezes consegue, mas, quando a imagem se torna obsessiva e a faz sentir-se esmagada pela ferocidade da situação, ela tem uma vontade apenas: bater com a cabeça numa parede para que tudo aquilo termine, para que o silêncio volte, para que a paz em que vivia antes floresça de novo. Ela aperta Adrien contra o peito:

— Meu pequeno, meu pequeninho, hoje à noite Victoire não vem...

Na noite seguinte, Victoire ouve Céleste entrar e sair em silêncio com o cestinho. Quer se juntar a ela dessa vez, abraçá-la, compartilhar suas dúvidas. E principalmente amá-la. O que é que as proíbe afinal? As convenções? A educação delas? Como ela gostaria de abandonar todo mundo à própria sorte! Ir embora. Que a deixem viver, respirar. Victoire se mexe na cama, amassa e joga no chão seu sachê de lavanda. Gostaria de partir com Céleste e Adrien. Para longe, para outro país, para a América, por que não?! Onde não os encontrassem. Mas viver do quê? Essa realidade é aterradora, humilhante. Seu futuro financeiro depende de Anselme. Que injustiça estar tão profundamente ligada a ele! Ele, que está dormindo no escritório ao lado. Sufocada, senta na beira da cama. O que é que ela pode realmente fazer? Por que, em Paris, estava tão feliz, tão cheia de vida, e tão triste nessa noite?

— Vou ver Céleste para esquecer esses pensamentos ruins.

Levanta, gira a maçaneta da porta com cuidado. Tudo parece imóvel na casa adormecida. Na ponta dos pés, caminha pelo corredor. Quando, de repente, ela ouve a porta do escritório fechando, e Anselme, com uma vela na mão, lhe diz:

— O que aconteceu? Aonde você vai?

Ela fica parada onde está, depois se vira e gagueja:

— Eu estava indo na cozinha... Fiquei com fome...

— Mas você está indo para o lado errado, querida, a cozinha fica para lá!

— Que idiota! Ainda estou dormindo. Nem sei o que estou fazendo...

— Vamos, eu vou com você!

Feliz com esse encontro imprevisto, ele a pega pelo braço. E então, num impulso paterno, ele para:

— Me deixe ver o pequeno dormindo, eu nunca o vi durante a noite!

Um suor frio escorre pelas têmporas de Victoire. O que aconteceria se Anselme descobrisse que Adrien não está em seu quarto, mas com Céleste?

— Não, não, vamos deixá-lo dormir em paz...

E ela o força a seguir em frente.

Na cozinha mal iluminada pela luminária a gás, eles não sabem mais sobre o que conversar.

Victoire belisca mecanicamente um pedaço de pão, não está com nenhuma fome. Pensa em Céleste, que a espera, mas se sente compelida a sentar, a fazer de conta. Anselme serviu uma xícara de leite.

— Que coisa boa — ele diz depois de tomar um gole longo.

Victoire já está de pé, ela tem pressa.

— Mas aonde você está indo? Vamos ficar aqui um pouco, ao menos uma vez nós estamos sozinhos nesta cozinha!

Ela volta a sentar, mas demonstra seu tédio ficando calada.

Anselme continua, animado:

— Vamos falar desse almoço com a sua família. Que cardápio você pensou?

— Não sei, vou ver com Huguette.

— Vai convidar o padre Roger? Acho que é uma ótima ideia!

— Eu já disse que não sei! Estou cansada, vou voltar para a cama.

Anselme não cede e olha diretamente nos olhos dela:

— Victoire, eu não entendo você. Sempre insatisfeita, arredia. Você foi a Paris, você tem um vestido. Do que mais você precisa?

Ela não estava esperando por um ataque tão frontal. Sussurra:

— Se eu soubesse...

Não quer ficar mais tempo nessa cozinha, levanta num pulo, mas Anselme a segura pelo punho para mantê-la perto:

— Victoire, eu amo você. Só estou tentando entender você. Eu adoraria que nós fôssemos marido e mulher, como antes.

O olhar dele é suplicante. Quer abraçá-la, beijá-la. Ela se solta:

— Talvez um dia, mas não agora.

Volta correndo para o quarto e se esconde debaixo dos lençóis. Vai ver Céleste quando Anselme tiver voltado ao escritório. Sem correr o risco de que ele a surpreenda de novo.

Anselme toma seu tempo. Está sentado na cozinha, a xícara na mão, terrivelmente só. Com um gesto lento, seca na manga do pijama as gotas de leite grudadas no bigode. Com tristeza, reconhece: Victoire não o ama. Esse casamento será o mesmo fracasso que o anterior? Meu Deus, por que as relações entre homens e mulheres são tão complicadas... Os dois, Victoire e ele, não têm os mesmos valores? As mesmas ambições? Ou seja, um lar sólido. Agora que eles têm um filho, tudo deveria estar no rumo certo e, no entanto, está tudo instável. Claro, foi Céleste quem gerou o bebê, e ele não se orgulha de ter traído Victoire, mas os homens têm necessidades que as mulheres não têm, isso todo mundo sabe! E além do mais, ele a traiu com uma empregada, não com outra mulher!

Esses pensamentos o atiçam. Como ele gostaria, naquele momento, de apertar um corpo quente contra o seu. Um corpo no qual ele poderia se deixar ir, penetrar, se sentir acolhido. Como iria adorar que uma voz suave lhe dissesse que ele não é aquele menininho inútil à espreita de uma aprovação paterna que nunca terá. Como iria adorar que tudo fosse normal, um lar digno desse nome, não se dar por satisfeito com a casca, ter também a polpa. Por fim, Céleste sempre esteve ali para ele. Nunca contestou, nunca fez cara feia. Ela conseguiu fazer o que Victoire não soube e, acima de tudo, aquilo de que ele mesmo se considerava incapaz: ter um filho. Não lhe agradeceu o suficiente. Aliás, nunca dirigiu de fato a palavra a ela. Talvez agora seja a hora de ir vê-la, de se abandonar nos braços dela... Sim, é isso. É isso que vai fazer, encontrar conforto naquela caminha de ferro. Deixa a xícara sobre a mesa e sai com um passo decidido. No corredor, ao passar pelo quarto de Victoire, tentar ser discreto. Ela já deve estar dormindo. Chega na escada de serviço. Está com pressa. O desejo o instiga a ir ver Céleste, a tomá-la.

Victoire, com os olhos arregalados, ouviu os passos dele diante de sua porta. Entendeu que ele tinha seguido em frente, que não tinha parado no escritório, mas levou mais alguns instantes até entender para onde se dirigia.

De repente, ela está em pé, corre pelo corredor, sobe os degraus de quatro em quatro e o encontra lá em cima, pronto para abrir a porta do quarto de Céleste.

Enfurecida, Victoire berra:

— Então vá para o bordel!

Fazendo eco ao grito materno, o de Adrien, que acorda assustado.

Todo o corpo de Anselme fica paralisado, não se ouve nada além dos gritos do bebê. Victoire se precipita, bloqueia a porta. Seus rostos estão quase se tocando. Ela treme. Com o maxilar completamente rígido, consegue pronunciar:

— Saia daqui! Nunca mais chegue perto dela!

Adrien já não chora, Céleste deve estar embalando-o.

— Eu não vou embora daqui até você me dizer o que é que o meu filho — ele acentua o *meu* — está fazendo neste quarto.

— Adrien dorme com frequência no quarto de Céleste. Ela tem todo o direito de vê-lo, certo? Afinal de contas, ele também é filho dela.

Eles ficam ali, estudando-se, imóveis. Victoire vê os pelos do bigode de Anselme vibrarem a cada expiração. Nesse exato momento, ela o odeia. Ferido com tamanha violência, Anselme recua. Ele sustenta o olhar, mas seus membros não conseguem mais suportar a proximidade entre eles. Diz com frieza.

— Muito bem, Victoire. Como estou vendo que não sou bem-vindo na minha casa, vou seguir o seu conselho e vou ao bordel...

Dá mais um passo para trás, depois se vira e se dirige, com passadas mecânicas, para o andar de baixo.

Quando Céleste abre a porta do quarto, o corpo de Victoire ainda está bloqueando a entrada. A jovem segura Adrien, que gesticula, num dos braços, e com o outro abraça Victoire, que treme. Céleste os reconforta e, lentamente, os leva para dentro do quarto. Permanecem, todos os três, entrelaçados, até que as batidas de seus corações se confundem. Só então Adrien pega no sono, e Victoire começa a chorar.

— Estou perdida, Céleste. Desde que voltamos, eu não sei mais nada. É como se tudo estivesse desmoronando, no entanto eu tenho toda a certeza de que amo você. Mas, você entende, a vida, os outros, Anselme...

E ela chora ainda mais forte.

Céleste coloca Adrien delicadamente em seu cestinho. Não diz nada, mas percebe, de repente, que caberá a ela levar a história delas adiante. Levá-la até o final, com pulso firme.

Depois de deitar o filho, vai buscar Victoire, que ficou agachada no meio do quartinho. Levanta-a e a conduz até a cama, onde sentam uma perto da outra. Céleste acaricia sua bochecha, sussurrando em seu ouvido uma canção da sua infância:

— Dorme, minha menininha. Como o galho que chacoalha com o vento. Dorme, minha menininha. Enquanto eu estiver aqui, a noite e as sombras não vão te pegar...

E recomeça ainda mais suave:

— Dorme, minha menininha. Como o galho...

Victoire não chora mais. Ela se deixa levar, está quase sem medo. A canção se transforma em oração:

— Santa Maria, mãe do mundo, cuide de nós. Cuide dela. Principalmente dela, mais que de mim, e mais ainda

de Adrien. Faça com que não se desviem, que não escapem da sua vigilância. Santa Maria, mãe da terra, mantenha-os aquecidos nas suas entranhas, unidos, abençoados...
Victoire olha para ela:
— Você voltou a rezar?
— Sim, já era hora.
Ficam em silêncio por mais alguns momentos, incapazes de saber o que fazer. É Céleste quem se levanta primeiro, pega o cestinho e o alcança para Victoire:
— Adrien está muito bem, agora ele pode dormir no seu quarto.
— Você não quer mais que a gente se veja?
A voz de Céleste fica embargada:
— Eu adoraria, é claro que eu adoraria, mas depois do que aconteceu esta noite, já não sabemos...
Victoire não responde, pega o cestinho e volta para o quarto, atordoada.

Sob as telhas de ardósia do casarão burguês, quatro pessoas estão deitadas, apenas o bebê dorme. Os outros mantêm os olhos bem abertos. Cada um em seu quarto, cada um em sua profunda solidão, assombrados por sonhos, desejos, esperanças que não se encontram, que se chocam contra as paredes forradas, contra os tafetás amarrados nas argolas — metros de tecido que absorvem os suspiros para devolver não mais que um eco acolchoado.

Huguette sente que a atmosfera da casa mudou. Os silêncios são mais pesados, os olhares são fugidios, as conversas recém-começadas murcham sobre a toalha da mesa de jantar.

Desde a revelação de Pierre, ela vê Anselme de um jeito diferente. Encontra respostas para perguntas que nunca tinha se feito antes. A estranheza daquela criança, sua solidão, seus excessos de menino bravateiro seguidos de longos momentos de mudez. Mas é especialmente a mãe de Anselme que mudou de aparência em sua mente, ela se tornou amarelada, a cor da mentira. Toda uma vida glorificando um pai que não era pai, fazendo de conta.

Pierre e Huguette continuaram seu estranho diálogo no dia seguinte. Ele estava relutante, mas ela conseguiu tirar dele a informação que faltava: a identidade do pai. Era o primo Alphonse. Pensando agora sobre isso, ela entende por que ele estava lá em todos os aniversários e comunhões. Em todas essas etapas, ele nunca ficou muito longe da mãe de Anselme. Huguette se pergunta se monsieur de Boisvaillant havia indicado o número de coitos extraconjugais que ele poderia tolerar. Como é que conseguiram chegar a isso? Que tipo de conversa os três tiveram para chegar a uma situação dessas? Que tipo de silêncio? Tiveram um filho, mas a que preço! E essa mesma mentira continua agora na história de Adrien. Meu Deus, são todos doidos!

Céleste está ocupada na cozinha. Nessa tarde, depois de ter encerado e lustrado o piso do andar de cima, ela se dedica às panelas de cobre. Huguette a observa. Céleste tem o rosto cansado, seu olhar às vezes se perde, muito além do gesto mecânico da mão que esfrega o metal.

— Você não me falou da estadia em Paris com madame!
— Como?

Céleste não ouviu.

— Eu queria que você me contasse da estadia em Paris com madame...
— E o que você quer que eu diga?

Céleste voltou a esfregar, ainda mais forte. Parece que está tentando furar o utensílio.

— Bom, vamos ver. A viagem, o barulho, as pessoas, as roupas... Você percebe a sorte que teve? A maior viagem que eu fiz foi para acompanhar monsieur até aqui!

Céleste olha para Huguette demoradamente, muito demoradamente.

— Aconteceu alguma coisa? — Huguette arrisca.

O mesmo olhar, o mesmo silêncio. Ela continua:

— A verdade é que, desde que vocês voltaram, estou com uma sensação estranha. Monsieur evita madame, que evita monsieur. O piano por horas e horas. Ela enche nossos ouvidos à força. Por outro lado, acho que ela realmente começou a gostar de Adrien, e isso é bom.

— Tem razão, Huguette, isso é o mais importante.
— Sim, mas e a viagem a Paris?

O olhar de Céleste volta ao normal, sorridente:

— Paris? Nós fomos na loja, ela experimentou um vestido bonito, mas muito caro. E foi isso. A cidade eu não sei, não prestei atenção. Muita gente, muito barulho...

— Mais nada?

Huguette está desapontada, se madame tivesse pedido para acompanhá-la, ela não teria perdido um detalhezinho sequer. Teria observado tudo, lembrado de tudo. Essa Céleste é jovem demais, mas também, depois de tudo o que passou nos últimos tempos, talvez não seja culpa dela.

E de repente as palavras saem da boca de Huguette sem que ela perceba — há segredos tão pesados para guardar que preferimos contá-los imediatamente, para dividir o fardo.

— Pois bem, eu descobri uma coisa enquanto você estava em Paris. Imagine só que o pai de Anselme não é o pai dele!

Huguette esperava que a novidade deixasse Céleste chocada, mas só suscita um modesto:

— Ah, é?

— Acho que você não entendeu direito. Como o pai de Anselme não podia ter filhos, ele pediu para o primo Alphonse ajudá-lo. Entende o que eu estou querendo dizer?

Huguette enfatiza sua última frase dando uma piscadela.

— Mas como você descobriu isso?

— Foi Pierre que me contou.

— Ele fala?

Essa notícia sim deixa Céleste literalmente siderada.

— Ele não é surdo e mudo?

— É claro que ele é surdo e mudo, mas eu consigo ler os lábios dele.

Huguette está irritada por ter que dar essas explicações, a revelação não está aí. E continua, apesar de tudo:

— Então veja só, para Adrien, é a mesma coisa. Toda a vida, ele vai acreditar que madame é a mãe dele, quando, na verdade, é você. A história se repete, se repete...

Céleste, de repente, compreende a gravidade do que está ouvindo. Depois de um longo silêncio, responde num sussurro:

— E saber que tudo isso é por minha culpa...

No dia 8 de maio de 1909, chegam todos para o almoço. A agitação da casa está em seu ápice. Huguette e Céleste passaram dois dias na cozinha elaborando o cardápio, e Victoire contratou mais dois homens para o serviço de mesa. Divertiu-se escrevendo com sua letra elegante, nas folhas de bordas franjadas, o cardápio do dia. Tem certeza de que vai deixar sua família deslumbrada com uma acolhida dessas. Anselme selecionou os vinhos entre suas melhores garrafas. Victoire se empenhou como na época em que vivia com as irmãs:

Aspargos com molho de mousseline
Salmão ao molho de genebrino
Filé mignon a marechal
Sorvete de cereja
Pernil de cordeiro
Ervilhas à francesa
Torrones decorados
Folhas de chocolate
Frutas
Café
Vinhos: Madeira, Saint-Émilion 1899,
Quarts-de-Chaume 1895,
Moët & Chandon

A mesa está magnífica: flores, a toalha engomada e bordada do enxoval de Victoire, usada apenas em ocasiões especiais, copos de cristal, prataria impecável. Que casa linda! Ela se sente como uma princesa em seu reino. E Adrien, que estamos apresentando hoje! Victoire penteou delicadamente seus poucos cachos loiros e colocou no bebê um belíssimo vestido inglês com rendas.

— Você está lindo, está perfeito! — ela diz enquanto o coloca de volta no cestinho.

Quando ouvem o portão do jardim abrir e fechar, assim como as rodas da caleche se aproximarem, Victoire e Anselme vão até o patamar para receber os convidados. Os abraços são calorosos, já não se viam há vários meses. Vão primeiro para a sala, irrompem exclamações ao verem Adrien. Marguerite de Champfleuri derrama algumas lágrimas, não consegue evitar dizer: "Um menino, um menino, até que enfim...". Mas Adrien, assustado com a comoção ao seu redor, logo começa a chorar.

Victoire o toma em seus braços e sua mãe, extasiada de alegria, exclama:

— Meu Deus, minha menininha, você é mãe! Ainda não consigo acreditar!

E Anselme, complementando:

— Ela é tão linda, não é?

Algo no coração de Victoire explode. Sim, ela é mãe! É verdade! Estava faltando a aprovação da sua para acreditar realmente naquilo. Aperta Adrien um pouco mais forte em seu peito, sussurrando para ele:

— Meu amor, meu amor...

O almoço está indo maravilhosamente bem. Concordaram quanto aos convidados, e o padre Roger aceitou de bom grado que o padre Gabriel se junte a ele para a celebração do batismo. O fotógrafo virá no dia para imortalizá-los. Victoire começa até a sorrir para Anselme. Não é ele, afinal de contas, o pai do seu amor? A ilusão é perfeita. A família parece unida, um ideal alcançado que prenuncia uma felicidade sem falhas. Passam longas horas à mesa, levados por uma embriaguez difusa.

Por volta das quatro, decidem tomar um café no jardim, a primavera está radiante naquele dia. Victoire coloca Adrien em seu carrinho e todos se acomodam em torno das mesas de ferro forjado. O padre Gabriel observou Victoire durante a refeição. Achou-a esplêndida, mas sabe por experiência própria que a passagem de mulher a mãe é infinitamente perigosa. Seus anos de escuta atenta e de absolvições lhe forneceram muitas provas. Ele lembra de Victoire, tão frágil em sua primeira comunhão, o vestido um pouco grande, já usado pelas irmãs mais velhas, sempre discreta, sempre tímida, raramente disposta a falar. Em sua comunhão solene, ela tinha ganhado um pouco de segurança, apesar dos gestos bruscos e desordenados que pressagiavam um temperamento volúvel. Ele vê que hoje, graças à maternidade, ela finalmente encontrou seu lugar no mundo. No entanto, para ter certeza disso, se aproxima dela e pergunta se ela não o acompanharia numa pequena caminhada. Poderiam bater um papo, ele acrescenta. E por que não aproveitar a ocasião para botar esse lindo carrinho novo para andar?

— Claro que sim, meu padre, faz tanto tempo que nós não conversamos. Eu senti falta das nossas conversas.

Fala essa última frase bem baixinho, para não ofender o padre Roger, sentado ali ao lado.

Ela se levanta, ajeita a capelina e empurra o carrinho com cuidado entre os canteiros de flores. Andar perto do padre Gabriel lhe traz um conforto caloroso. Memórias infantis da felicidade de estar perto do bom Deus e de se sentir protegida.

Poucas palavras serão necessárias para que Victoire fale. Uma confissão indecente em resposta a uma pergunta simples:

— Como você está?

— Estou ótima, meu padre! Como é que eu poderia estar mais feliz?

Ela para na frente das íris brancas:

— Olhe como estão começando a murchar! Elas eram tão bonitas...

A visão daquela flor inebriante perdendo o brilho a perturba. Suas mãos se aferram à alça do carrinho.

— Meu padre, tem algo que eu preciso confessar. Adrien é meu filho, mas ele não é meu filho.

— Como?

— Bom, é meu filho, mas eu não o gerei...

O padre pega o braço de Victoire e sugere que eles se sentem no banco de pedra um pouco mais afastado. Quando estão acomodados, ele a olha direto nos olhos e segura, entre as suas, a mão delicada de Victoire:

— Me conte.

— Foi Céleste, a nossa empregada, que o gerou.

— Mas quem é o pai?

— Anselme.

Um longo silêncio entre eles, cada um vagando entre os segredos dos seus pensamentos.

— Minha querida, você não é a primeira, nem a última. Mas, acredite em mim, para a tranquilidade do seu lar, você tem que mandar embora essa empregada.

— Nem pensar!

— Por quê? É uma tentação inútil para o seu marido, e ela vai ficar sempre querendo ver Adrien. Cuidado, Victoire, já conheci outras que tiveram um coração bom demais e se arrependeram amargamente.

— Eu não posso. Céleste me deu tudo.

— Você quer dizer tirou tudo!

— Se você conhecesse o amor, meu padre, ela é só amor.

Ele vira para ela e, com toda a benevolência que pode, diz:

— Minha pequena Victoire, eu conheço você há bastante tempo. Confie em mim. Agora sua alma está confusa, essa descoberta da maternidade é um momento de fragilidade para você...

Ela não o deixa terminar:

— Mas eu amo...

— É claro que você ama Adrien, é seu filho!

— Não, ela, Céleste.

O padre ainda não entendeu:

— Você a ama porque ela gerou seu filho. Mas não esqueça que é você quem salva a vida dele ao criá-lo!

— Você não entende, meu padre, eu a amo com todo o meu corpo.

O rosto de Victoire se acende. Quer contar tudo agora, tudo o que escondeu, trancafiou em seu coração. Falar em alto e bom som, ao menos para ele, com quem se confessa desde sempre:

— Ela me deu um filho, ela deu forças para ele viver quando eu não conseguia nem segurá-lo nos meus braços. Ela me pegou nos braços quando eu não sabia nem que estava viva, quando eu era incapaz de sentimentos, de emoções. Eu não sabia nada antes dela. Ela me deu tudo em silêncio...

O padre Gabriel a interrompe com violência:

— O que eu estou entendendo acima de tudo, minha pequena Victoire, é que essa jovem está enfeitiçando todos vocês! Recomponha-se! É você quem está fazendo um favor para ela. Crie Adrien e mande ela embora! Recomende-a, se o seu coração manda, mas nada mais! Sua vida é junto de Anselme e Adrien!

— Estou me lixando para Anselme.

— Ainda assim, você se casou diante de Deus!

É um argumento de peso. Victoire não tinha pensado em Deus. Não responde nada, seu corpo se sacode em soluços.

— Minha cara, essa empregada colocou você no pecado. Deus vai te perdoar, mas você tem que se controlar!

— E por que eu não deveria ter direito à felicidade?

— É o diabo que está deixando você cega, Victoire!

O tom do padre Gabriel é inflexível:

— Victoire! Essa mulher está levando você para a luxúria infernal. Crie Adrien e se reaproxime de Anselme. Deus uniu vocês, ele vai guiá-los para a felicidade.

— Meu padre, eu estou perdida...

Victoire cede, seu espírito se dobra. O padre percebe, fala com mais delicadeza:

— Minha pequena, a vida é feita de tormentos. Você está presa a um deles. Eu sei que você tem força de vontade suficiente para sair disso. Sua fé vai sair fortalecida, seu lar também. Quando você olhar para trás, vai ficar contente por ter vencido o vício. Vai até se perguntar como é que ele foi capaz de desviá-la.

— O senhor está certo, meu padre, eu vou me recompor.

— Eu acredito em você. Vamos nos juntar aos outros e você vai olhar para o seu marido de outro jeito. Vai oferecer a ele o seu amor.

— Vou tentar...
— Não, você vai fazer! — ele responde com frieza.
Em torno das mesinhas, as conversas continuaram. Quando Marguerite de Champfleuri vê sua filha, vai caminhando na direção dela, dizendo que o dia está maravilhoso, mas que infelizmente eles não vão demorar a voltar:
— Você sabe que eu não gosto de viajar à noite — acrescenta.
Decidem passar o tempo que resta na sala de estar. Victoire sorri, ninguém faz ideia da conversa que acabou de acontecer. Ninguém, tampouco, repara na ausência do padre Gabriel. Ele encontrou o caminho até a cozinha, até Céleste. Cheio de ódio, grita na cara dela:
— Você devia ter vergonha! Você vai arder no inferno!

Depois de vomitar sua frase, o padre Gabriel sai imediatamente. Céleste está só na cozinha nesse momento, coloca com cuidado sobre a mesa a bandeja que tem nas mãos. Sente que o encadeamento de suas ações, a partir de agora, é decisivo.

Observa o conteúdo da bandeja, incrédula. O que foi que ela fez? O que aconteceu exatamente para que chegasse a isso? Quando foi que tudo mudou? Ela é incapaz de responder essas perguntas, mas de uma coisa tem certeza: deve fugir o mais rápido possível.

Tira o avental, vai até o quarto buscar seu rosário e seu xale. *Santa Maria, mãe do mundo, cuide de mim agora. Me ajude a encontrar você...*

Ela sai pela porta de serviço. Ninguém nota sua partida, ainda estão todos na sala de estar. Ela caminha rápido ao longo do Cher. Para encontrar essa mãe do mundo por quem ela chama em seus votos, existe um lugar apenas: a igreja. Esconder-se, tomar seu tempo para orar. Primeira etapa de um longo caminho e, mesmo que ainda não saiba qual, Céleste avança, determinada, levada pelo vento.

Entra na igreja num horário em que é pouco frequentada. Cobre a cabeça com o xale, molha dois dedos na pia e faz o sinal da cruz. Escolhe um canto escuro para sentar. Reza sem parar, conta por conta do rosário. Se balança ao ritmo das palavras que, pouco a pouco, a mergulham

num torpor suave. Esquecer, esquecer. Aqui, ela não sente mais nada.
 Em seguida o sacristão passa, ela o ouve fechar a igreja à chave. Está sozinha. Finalmente vai poder ir para o coração do santuário, lá onde a Virgem a espera, lá onde ninguém poderá encontrá-la. Lá onde a pulsação do mundo começa, sua ressonância e também sua harmonia: o coração do órgão. Esconder-se dentro de sua caixa.
 A igreja está tão escura agora que ela mal consegue enxergar. Tateando, encontra a porta, perto da entrada, onde fica a escada que sobe, abrupta, para o instrumento. Ela sobe, tropeça, se agarra nos degraus comidos por cupins. Chegando no alto, acaricia a banqueta do organista, senta, roça nos pedais com a ponta dos pés, não se atreve a encostar no teclado. A música celeste não é para ela. Tudo o que quer é se impregnar de silêncio.
 Na lateral da caixa, abre outra portinhola. Encontrou seu esconderijo. Fecha-a atrás de si e deita na plataforma exígua, em meio aos tubos e à madeira; nesse lugar onde mesmo o instrumentista entra raramente.
 Quando era criança, o organista do seu vilarejo havia explicado a ela como um órgão funcionava. Tinha ficado fascinada com sua complexidade, mas também pela majestade do som, sua grandeza à imagem de Deus. Nunca tinha pensado nisso até hoje, até esse momento preciso de sua vida em que nenhum outro lugar poderia recebê-la.
 Céleste adormece em seguida no calor da madeira, coberta com seu xale, o rosário apertado na mão. Abandona-se à vontade de sua protetora, daquela que a acompanha desde sempre. E Céleste, de repente, não tem mais medo. Não lhe acontecerá nada que não esteja escrito,

nada que não esteja decidido pelos céus, nada que não lhe permita expiar seus pecados. A Virgem a escuta, é impossível que seja de outro modo. Conversa com ela, explicando que o caminho percorrido era o certo, que era útil, que ela fez sempre o seu melhor, que não queria fazer mal a ninguém, especialmente a Adrien e Victoire, que os amou como nunca. *Santa Maria, mãe do mundo, estou em suas mãos...*

Dorme por um longo tempo, em paz, sem se preocupar com o tempo nem com a hora. Às vezes acorda e, quando se lembra do órgão, deixa-se dominar mais uma vez pelo sono pesado. É só muito mais tarde, na manhã seguinte, que acorda sobressaltada, o som dos tubos perfurando seus ouvidos. Escapa depressa da caixa e se vê cara a cara com o organista. Nunca o tinha encontrado antes. É um homem grisalho, de barba longa e bigode, que a olha por trás das lentes grossas dos óculos:

— O que você está fazendo aqui, pequena?

— Eu vim dormir.

A resposta de Céleste não parece surpreendê-lo. Ele continua:

— É bonito esse órgão, não é?

— Muito! E dá para dormir muito bem!

Céleste se espreguiça e senta perto dele:

— Toque alguma coisa para mim...

Ele ataca uma tocata de Bach. A igreja se esvazia de seu silêncio para se encher desse esplendor sonoro.

— Meu Deus, que lindo! — se extasia Céleste.

— Faz pouco tempo que eu tenho um motorzinho elé-

trico. Antes eu tinha que pagar um soprador, agora posso vir tocar quando quero.
Sorri para ela, antes de ser tomado por um terrível acesso de tosse. Tira depressa o lenço do bolso e cospe nele. Seu rosto, transformado por esse esforço, está arroxeado. Ele limpa a barba.
— O senhor está doente?
— É a tísica, pequena. Eu não vou durar muito mais tempo, mas enquanto eu puder tocar, estarei aqui. Aliás, seria melhor você se afastar para não pegá-la.
— Não, eu não estou aqui por acaso. Foi ela que me mandou — Céleste aponta para o céu ao dizer isso.
Ficam muito tempo papeando, próximos um do outro. Essa familiaridade repentina os envolve, os reconforta — ambos sabem que estão perdidos. Céleste entendeu por que a Virgem colocou esse homem carinhoso em seu caminho. Para que seja a sua vez de pegar a tísica. A voz luminosa de sua protetora ordena que ela fique ali, esperando a doença que virá para encerrar tudo, resolver tudo. Afastando-se da vida, ela se afastará da dos outros. E tudo vai se tornar tão simples! A alma dela colada ao manto virginal; as vidas deles, na terra, como uma família unida. *Santa Maria, mãe do mundo, obrigada por abrir esse caminho, ele parece tão certo hoje...*
Céleste não quer, acima de qualquer coisa, que a tísica escape dela. Num momento de desatenção de seu novo amigo, ela rouba seu lenço, manchado de sangue e muco. Esconde-o em seu vestido e, assim que estiver sozinha, poderá respirá-lo, impregnar-se de tal maneira que a vontade divina se cumprirá.

Huguette nota a ausência de Céleste quando os dois empregados contratados para o dia vão embora. Procura pelo jardim, pela casa. Mas a jovem empregada parece que se volatilizou. Huguette, exausta, não se preocupa além da conta. Às vezes, terminado o serviço, ela sai para passear ou fazer uma caminhada. Ainda assim, deveria ter avisado! Huguette vai para sua casa com a certeza de que Céleste estará de volta na manhã seguinte. Mas quando, às sete horas, ela não está nem na cozinha, nem no quarto, Huguette começa a se culpar por ter sido tão negligente. Comunica a Victoire quando vai levar-lhe o café da manhã.

Ao abrir as janelas, ela simplesmente diz:
— Perdemos Céleste, não se sabe onde ela está.
— Como assim, a senhora não sabe onde ela está?
Victoire levanta rapidamente.
— Fui olhar no quarto dela. A cama está arrumada, o avental dobrado. Deve ter ido embora ontem à noite.
Victoire agora está em pé, andando em círculos:
— Então faça alguma coisa! Avise os guardas! Não sei... Encontre ela!
— Tenha calma, madame. Ela vai voltar por conta própria com certeza.
— Mas e se aconteceu alguma coisa?
Adrien começa a chorar. Victoire tapa os ouvidos:

— E desça com o pequeno, dê comida para ele na cozinha. Quero ficar sozinha.

Huguette não estava esperando por uma reação tão virulenta de Victoire. Desce com o bebê e, depois de lhe dar a mamadeira, informa Anselme. Ele com certeza vai saber o que fazer. A resposta é o oposto da de sua esposa:

— E a senhora quer que eu faça o quê, Huguette? Ela vai voltar. Para onde a senhora acha que ela iria? E se ela não voltar, encontraremos outra empregada!

No mais fundo do seu ser, ele não está incomodado com esse desaparecimento. Se ela pudesse não reaparecer, isso daria um jeito nas nossas questões, ele pensa.

Victoire se vestiu depressa, sem a ajuda de ninguém. Está na cozinha e conversa com Huguette. Acalmou-se um pouco.

— Madame, monsieur concorda com a ideia de esperar um pouco. É certo que ela vai voltar.

— Não me surpreende nada, vindo dele... Diga para Pierre dar uma volta na cidade. Talvez ele a veja. Vá agora!

— Está bem, madame.

Como de costume, Victoire instala o cestinho embaixo do piano. Precisa manter as mãos ocupadas. Ajeita a partitura da *Sonata ao luar* na estante. Como um talismã. Promete que vai tocá-la até o retorno de Céleste. Toca com todo o corpo, com toda a alma, num fervor tão intenso que parece chegar a uma outra dimensão do mundo. Uma em briaguez que a deixa fechada às outras pessoas, permeável a apenas uma: Céleste.

— Volte, não me abandone — ela murmura enquanto seus dedos correm sobre as teclas. — Céleste, se você voltar, prometo que vamos embora. Nós duas, ou nós três, com Adrien, como você quiser. Nós vamos encontrar dinheiro... Não sei... Eu poderia trabalhar. E por que não? Toma fôlego e recomeça a sonata, esse primeiro movimento que lhe revelou o amor de que era capaz, o deslumbramento ao qual se considerava estrangeira.

— Quando você voltar, faremos um plano preciso. Poderíamos ir até a casa da minha prima, em Blois, e depois voltamos a Paris por alguns dias. Lembra do Maxim's? Nós éramos felizes, éramos livres. E por que não o tempo todo? Por que você foi embora? Por que não me contou? Você suspeitou da minha conversa com o padre Gabriel? Agora que você se foi, estou me lixando para isso tudo, para a moral, para o que vão dizer. Eu quero estar perto de você, só isso...

Seus dedos deslizam sobre o teclado.

— Volte, vamos encontrar dinheiro e um caminho para ir para longe...

Encostado na porta, Anselme a observa há algum tempo. Por que ela não se entrega para ele com aquela mesma intensidade? O piano é um escape que a vida não lhe oferece.

Ele está triste, mas é ela quem o força a esses excessos. Gostaria de não ter que fazer isso, pelo menos não de forma tão aberta. Mas a culpa é toda dela. Está convencido de que já tentou o impossível, de que aceitou seus caprichos, suas mudanças de humor, suas incompreensões. Será necessária essa última provocação para que ela volte para ele, para que perceba o que está perdendo, a gravidade da situação? Ela não o vê se aproximando, dá um pulo quando ele coloca as mãos em seus ombros. Seus dedos instantaneamente param de tocar.

— Victoire, hoje à noite não estarei em casa, combinei uma noitada com Joseph, em Tours.

Espera alguns momentos para ver a reação dela. Nenhuma resposta. Então vai embora e, assim que cruza o umbral, a música de Beethoven volta a invadir o espaço.

A tensão e a agitação do ambiente não afetaram o descanso do pequeno Adrien, que, tranquilo, continua seu sono no cestinho.

Pierre foi até a cidade, procurou. Nas lojas, mostrou o bilhete que tinha preparado:
Céleste, a empregada de monsieur e madame de Boisvaillant, desapareceu. Alguém a viu?
Ninguém a viu, mas todos prometeram avisá-los se descobrissem alguma coisa. Pierre foi uma primeira vez até a igreja. Não a encontrou. Ela estava deitada na caixa, na escuridão de seu casulo. Estava respirando o lenço, segurando firme o rosário.

É só depois, quando ela sai, no fim da tarde, para conversar com o organista, que repara em Pierre, de costas, sentado num dos bancos da nave. Desce e senta perto dele. Ele a observa demoradamente. Ela acaba por dizer:
— É verdade que você fala?
Pierre ergue os ombros, mas pega a mão dela para fazê-la entender que devem voltar para casa agora. Seu gesto é gentil, sem qualquer agressividade. Ela sorri para ele e assente com a cabeça. Só precisa ir buscar seu xale e seu rosário.
Lá em cima, dá um beijo na bochecha do organista:
— Muito obrigada. O senhor não pode imaginar o que fez por mim.
Sobre a caixa do órgão fica o lenço manchado, que cumpriu sua missão.

Quando Céleste e Pierre retornam, Anselme já partiu para Tours. Victoire ainda está no piano, extenuada, sem forças, parou de tocar há pouco. Huguette vem avisá-la:
— Eles voltaram.

Victoire se levanta num salto, corre para o vestíbulo e, num impulso apaixonado, envolve Céleste num abraço:
— Você está aqui, você está aqui! Graças a Deus!

Céleste se desvencilha de seus braços e, sob os olhares espantados de Pierre e Huguette, responde educadamente:
— Sim, madame. Peço desculpas pela partida imprevista. Isso não vai acontecer de novo, eu prometo.
— Não é nada, o importante é que você está aqui. Tive tanto medo que você não fosse voltar.

Pierre e Huguette ficam surpresos com a efusão de Victoire, mas estão longe de adivinhar o que ela esconde. Mais tarde, na casinha deles, Huguette concluirá que madame é assim mesmo, tem altos e baixos, às vezes muito, às vezes muito pouco, e, além disso, Céleste gerou o seu filho, ela deve se sentir em dívida. "Deve ser isso, não é?". E Pierre balançará a cabeça.

Victoire janta na varanda, espera o tempo passar para que fique sozinha com Céleste e lhe conte o seu plano. Elaborou-o durante a tarde toda. Em torno das dez da noite,

Huguette e Pierre voltam para casa. Adrien está deitado. Victoire vai procurar Céleste lá em cima, no seu quartinho:
— Venha para a sala, quero falar com você.
— Por que na sala e não aqui?
Victoire se impacienta:
— Porque sim. Venha! É uma conversa sobre o nosso futuro.
— Mas e monsieur?
— Ele seguiu o meu conselho. Está no bordel com Joseph.
Nenhuma emoção afeta sua voz. Elas se sentam lado a lado no sofá. Céleste está constrangida, aquele não é o seu lugar. Victoire se enche de alegria pensando justamente em dar a Céleste o que ela merece:
— Eu pensei em você o dia todo, você não pode imaginar. Não parei de tocar piano, a *Sonata ao luar*, aquela que me fez entender o quanto nós três estávamos ligados de um jeito carnal, indescritível.

Victoire faz uma pausa. Olha com ardor para Céleste e pega suas mãos antes de continuar:
— Encoste nos meus dedos. Eles tocaram para você o dia inteiro. Cada nota era uma oração...
— Eu também rezei bastante.
— Por que você foi embora? O que aconteceu?

Céleste não quer revelar o insulto do padre Gabriel. Ela sabe que esse homem conta para Victoire e, além disso, foi ele quem lhe mostrou o caminho para a redenção. Responde simplesmente:
— Eu precisava pensar em você, em Adrien. Entender por quê, como fazer. Eu rezei e entendi. Não se preocupe! Vai ficar tudo bem agora — ela termina de falar, com um sorriso.

— Você é linda, Céleste. Nada disso tem importância, agora que você está aqui. O que importa para mim é você, que você tenha voltado...

Victoire a toma nos braços, o corpo de Céleste enrijece. Ela não devolve o abraço.

— O que está acontecendo? Não me ama mais?

Victoire a observa com atenção:

— Tem alguma coisa no seu olhar...

E ela continua, num só fôlego:

— Vamos embora nós duas. Nós três — ela corrige — vamos primeiro para a casa da minha prima, em Blois. Ela vai me emprestar dinheiro para irmos mais longe, primeiro para Paris, depois para a costa, para pegar um barco para os Estados Unidos. Lá tudo é possível, uma vida nova. Não vamos nos importar com os outros, desde que estejamos juntas! Me deixe fazer isso, eu vou organizar tudo...

— Victoire, isso é loucura!

Céleste quer ganhar tempo. O batismo de Adrien é dali a um mês e ela está determinada a vê-lo batizado. Trata de acalmá-la:

— O que sua família vai dizer? Nós estamos em uma bela casa, a sua. Vamos manter a calma. Tem o batismo. E eu não estou longe, estou sempre aqui, perto de você...

— Você não me ama como eu amo você!

— Se você soubesse, Victoire, se você soubesse... Mas não se trata disso. Adrien é muito pequeno para fazer uma viagem dessas. Sejamos pacientes!

— Pode ser que você esteja certa, mas como manter a calma?

Céleste disfarça, quer demonstrar tranquilidade:

— Além disso, Adrien precisa de um lar estável. Talvez você deva se reaproximar de Anselme...

— Como você pode dizer isso? Enquanto ele está no bordel! Parece o padre Gabriel falando!

Céleste faz um movimento de recuo que Victoire não percebe.

— Tudo bem, eu vou ser paciente, mas não me fale mais de Anselme, por favor... Enquanto isso, eu posso fazer alguma coisa por você?

A empregada pensa e acaba por responder:

— Sim, na verdade, tem uma coisa. Aquele vestido que eu usei em Paris. Você poderia me emprestar? Eu queria guardá-lo comigo...

— Mas é claro, o vestido é seu. Vamos lá buscar!

Agora estão no quarto de Victoire. Céleste, com o vestido nos braços, agradece e se prepara para sair. Victoire tenta beijá-la. Gostaria de amá-la, de sentir o corpo dela junto do seu, a plenitude de suas peles uma contra a outra. Ela a abraça e sussurra:

— Fique aqui comigo!

Mas Céleste se esquiva:

— Vou voltar lá para cima — ela procura as palavras certas. — Olha, Adrien acordou... Não se preocupe!

E ela se vai.

Céleste começa a tossir alguns dias depois. *Santa Maria, mãe do mundo, obrigada por me ajudar a realizar a sua vontade...* Céleste trabalha e se esconde para tossir. Não quer alertar ninguém. Evita Victoire.

Uma noite, quando ela vem bater à sua porta, Céleste pede desculpas dizendo que pegou um resfriado. E acrescenta que é preciso esperar um pouco. Victoire entra mesmo assim e senta na cama. Adrien dorme lá embaixo, no quarto dela.

— Estou preocupada, Céleste, tem alguma coisa que você está escondendo de mim.

— Não, Victoire, eu voltei a rezar e compreendi que, neste momento, o essencial era que Adrien crescesse.

Victoire perscruta seu rosto, procura algum segredo antes de continuar, pensativa:

— Desde que Anselme foi ao bordel, eu me sinto melhor. Acho que ele vai nos deixar em paz. Ele até parece feliz... Eu concordo em esperar, mas não muito. E me diga se você quer que eu chame o médico.

Céleste responde com uma risada:

— Imagine! Eu sou mais forte que isso!

Victoire deixa o quarto alguns minutos depois. Céleste prefere não beijá-la, alegando essa doencinha de nada. E acrescenta:

— Vamos pensar no batismo, é o mais importante! O pequeno Adrien batizado...

Os preparativos se aceleram. As amêndoas confeitadas, as flores, o cardápio, os convidados, a vinda do fotógrafo, o vestidinho — Anselme não cedeu, será mesmo o dele. Céleste participa do entusiasmo geral mais do que qualquer outro, está ansiosa para ver Adrien sob proteção divina. Os dias passam, os dias voam. Huguette, também absorvida pelo entusiasmo coletivo, mal repara na magreza repentina de Céleste e em suas ausências repetidas. Céleste não come, não consegue mais. Em poucas semanas, o apetite deu lugar à tosse e aos suores frios, que ela recebe como uma última etapa oferecida pela Virgem antes de se juntar a ela. Não sente nenhuma dor, pelo contrário. Quer resolver isso logo. À noite, ela escancara a janela para deixar entrar a umidade e a lua. Enfraquecer seu corpo um pouco mais, água e pão, apenas. *Santa Maria, mãe do mundo, quero encontrá-la o mais rápido possível...*

Na véspera do batismo, no início da manhã, enquanto as duas empregadas preparam o café da manhã de madame, Céleste é tomada por um acesso de tosse que revira seus pulmões. Não tem tempo de se esconder e acaba cuspindo no avental. Huguette imediatamente se preocupa, de repente vê sua tez pálida, sua magreza:

— O que está acontecendo com você? Por que você não nos contou que estava tão doente? Já tínhamos que ter chamado o médico...

— Nem pensar! Eu só peguei um resfriado. Não é nada sério! Amanhã tem o batismo, é o mais importante...

Mas Huguette não a escuta e, quando vai levar o café da manhã para madame, comunica seus temores:

— Você está certa, Huguette. Chame o médico imediatamente! Que ele faça o que for preciso para que ela fique boa.

Ele chega no começo da tarde. Céleste não quer ser examinada, diz que "está tudo bem, só peguei um resfriado na igreja, o senhor veio até aqui por nada...". Mas quando, sem conseguir se segurar, ela tosse diante dele, o médico a obriga a ir para o quarto. Vai atrás dela, verifica seu pulso, observa sua língua, pergunta há quanto tempo os sintomas começaram.

— Há tão pouco tempo! Meu Deus, é uma galopante!

Ele continua, franzindo o cenho, com o tom mais paternal possível:

— Minha pequena, você sabe o que é a tísica?

Céleste ergue os ombros, ela sabe que vai morrer, só isso. Ele parece ler em seus pensamentos.

— Não se preocupe, você precisa descansar para poder lutar direito contra essa porcaria. Vou conversar com madame de Boisvaillant.

Céleste protesta:

— Isso não! Deixe que eu faço isso. Amanhã eles vão batizar o filho. Não os incomode, eu imploro! Eu vou descansar, prometo para o senhor.

— Está bem, está bem... Vou trocar duas palavras com ela mesmo assim, sem preocupá-la. Aconselho você a beber vinho quente com mel pela manhã e à noite. Isso vai lhe dar força. E acima de tudo, minha pequena, não chegue perto de ninguém! Você pode contaminá-los...

— Certo, doutor.
— Volto para vê-la na semana que vem.
— Não vai ser preciso.
O médico olha para ela com atenção. Está muito pálida, tem todos os sintomas, os piores, aliás. Já viu muitos doentes, não fica mais com um nó na garganta como no início da carreira, quando tratava um paciente e sabia que estava condenado. Observa Céleste. Sim, ela certamente não vai resistir, mas tem algo incomum que brilha em seus olhos, e seu corpo inteiro parece vibrar. Nunca tinha visto isso antes. Diz a ela:
— É a sua fé, não é?
— É exatamente isso...
Quando está prestes a sair, para ir relatar a consulta a Victoire, Céleste repete pela última vez:
— Então, o senhor não vai preocupá-la? Ela é tão sensível. — As lágrimas enchem seus olhos. — Desde que ela virou mãe, qualquer coisinha a toca, o senhor sabe... E amanhã tem o batismo...

O médico disse simplesmente que ela estava resfriada e que precisava de repouso.
— O senhor me garante, doutor, que não é grave? — ela perguntou.
— Bastante repouso! E que ela não chegue perto de ninguém, principalmente do bebê, até que não esteja completamente curada.

Quando Céleste acorda, na manhã seguinte, vendo o sol brilhar através da janela, agradece ao céu por lhes proporcionar um dia tão bonito. Veste-se rapidamente, mal pode esperar. É hoje que Adrien vai encontrar o Senhor pela primeira vez.
Desde que se descobriu doente, não diz mais "meu filho", ela diz "Adrien". Em sua mente e em seu coração, ele encontrou um lugar especial, novo. Um lugar para eles dois, e mais ninguém. Ao lhe dar a vida, deu a ele o melhor de si. *Um pouco da minha carne em você. Toda a minha alma no seu corpinho.*
Huguette está na cozinha, ansiosa. Reclama que não pregou o olho durante a noite.
— Eu dormi muito bem! Estou me sentindo muito melhor! — Céleste mente mal, de tanto que está feliz.
— Que bom, significa que você vai se curar e que nós vamos poder ser eficientes. Porque nós temos muito trabalho pela frente hoje!

As mesas são postas do lado de fora para o grande almoço que se seguirá ao batismo. Flores por todo lado, guirlandas. Victoire sonhava exatamente com isso. "É primavera, é a renovação da vida! É o batismo do meu filho!".

Em sua mente, Victoire não o chama mais de Adrien, mas de "meu amor", "meu filho", talvez o único. Meu filho, meu filho, ela pensa enquanto tira da caixa o vestido de Poiret. Olha-se por bastante tempo no espelho. Sim, eu estou linda. Finalmente. Para esse dia tão esperado. Esse vestido novo, ligado para sempre a Céleste. Céleste, esse nome é tão apropriado para você. Usar esse vestido é escutar os seus suspiros ao pé do ouvido, é sentir a sua língua acariciar, curar esse lóbulo que eu tanto maltratei, é mergulhar com meus dedos na suavidade do seu sexo. Esse vestido é você em Paris, é a liberdade que tivemos, que carregamos como um segredo, e que em breve nós viveremos à vontade sob esse mesmo sol. Pensar nisso e aproveitar essa felicidade tocada, roubada, arrancada da vida.

Victoire penteia seus cabelos longos, prende-os num coque. Quando partirmos, vou cortá-los. Victoire continua se olhando. Esse espelho que ela odiava, essa imagem fragmentada de si mesma, ela ri de tudo isso hoje. O que faltava era esse vestido lindo, e um filho. Agora ela tem isso, quanta satisfação! Está sentindo, inclusive, uma certa compaixão por Anselme. Ele faz o melhor que pode. Ela sabe que, no fundo, ele tem carinho por ela, ele tem um bom coração, certamente melhor que o seu. Não foi ele que sempre tentou dar um passo na sua direção? No fim das contas, não lhe quer mal. Mas também há coisas que não podem ser domadas, que ele nunca saberá, que ele não é capaz de entender.

— Hoje é dia de festa, vamos esquecer isso tudo!

E a festa é linda, esplêndida. O padrinho, Joseph, e a madrinha, Adélaïde, irmã de Victoire, também estão muito felizes. Estão extasiados com a beleza do bebê. Sarah, apesar do traje extravagante, permanece discreta.

Às onze e meia, Adrien Joseph Anselme de Boisvaillant é batizado. Huguette, Pierre e Céleste, que estão no fundo da igreja, não conseguem segurar as lágrimas. Cada um tem suas razões. Huguette revê o batismo de Anselme — foi ontem, meu Deus, o tempo passa tão rápido. E esse bebezinho que está ali, o que vai ser dele?

Pierre chora, embora já tenha visto outros, mas as igrejas e os bons sentimentos ainda o deixam abalado. Quando se viveu na carne o que há de mais obscuro, entende-se o quanto é preciso cuidar da luz, por mais efêmera que seja.

Céleste chora pelo organista. Ele foi substituído. O sacristão não precisou explicar por quê.

As guirlandas, as flores, a comida fazem um grande sucesso. Os jovens uniformizados, contratados para o serviço, rodopiam entre as mesinhas colocadas com elegância sob as árvores. Os esforços culinários de Huguette são recompensados.

Céleste observa tudo isso da janela do seu quarto. Precisou subir para ficar de repouso. Ela vê Adrien, que dorme no seu carrinho. Victoire, que vai de um convidado a outro, quase dançando. Sua alegria resplandece, reflete em cada rosto. Céleste sorri também. Está muito feliz por estar ali para ver tudo aquilo. Ali, e um pouco distante. O pequeno Adrien, agora acordado, está nos braços de sua mãe. Céleste estende os seus. Seu coração aperta, há uma janela entre ela e o mundo. *Mas você está tão perto, meu pequeno Adrien.* E todo o seu amor fulgura em seu corpo. Ela o gerou. Ele é uma luz que atravessa o tempo.

O fotógrafo chega à tarde. A euforia se dissipou, as vozes retomaram seus tons normais. Ajudados pela digestão, alguns pegaram no sono em suas poltronas. Anselme e sua mãe, cansados de uma conversa que não levava a lugar nenhum, preferiram a companhia de Morfeu.
Victoire o acorda com um tapinha no ombro:
— Chegou o fotógrafo!
Anselme se levanta, alisa o bigode e vai cumprimentar o recém-chegado. Ele se apresenta com todo o seu equipamento. Os convidados, com a curiosidade de repente atiçada, formam um pequeno enxame em volta dele. Todo mundo quer encostar, fazer perguntas. Marguerite de Champfleuri dá umas risadinhas e exclama em seguida:
— Não deixa de ser um pouco diabólico nos capturar nessa caixa de fole!
O fotógrafo não se cansa do efeito que ele causa. Explica com paciência, com paixão, essa nova técnica. "Não, isso não captura nada além da luz que bate em vocês". "Sim, é extraordinário". Não, eles não perderão nada de suas almas. Ele jura. O padre Roger se aproximou e confirmou. O fotógrafo continua:
— Sim, todos vocês continuarão inteiros de corpo e de alma, mas isso não vai trazer de volta o que já tiverem perdido!
E a pequena assembleia cai na gargalhada. Mas é hora de se ajeitarem.

— Fiquem bem no meio do gramado. Minhas senhoras, não é preciso levar as sombrinhas.

As mulheres estão decepcionadas, vão piscar os olhos por causa do sol e isso vai estragar tudo. Mas o fotógrafo é inflexível. Nada de sombrinhas!

Tiram primeiro uma foto com todo mundo. Adrien nos braços de madame, o marido ao seu lado, com o padrinho e a madrinha. Depois todos os outros. Uma confusão para ficarem no lugar. Todos ficam congelados quando o fotógrafo se esconde sob a capa preta. Ele sai imediatamente:

— Sorriam, pessoal! É um dia feliz. É a fotografia que o pequeno vai ver no futuro! Não estamos num funeral!

Continuam todos congelados, mas sorrindo.

— Perfeito! — exclama o fotógrafo.

Tiram muitas fotos. Com Joseph e Adélaïde apenas, com os avós, as irmãs, os outros. Não param mais, gostaram da brincadeira. E então, a mais importante de todas, que eles teriam esquecido se o fotógrafo não os tivesse lembrado, aquela unicamente com os pais. Adrien adormeceu nos braços de Victoire, apesar do rebuliço. Henriette de Boisvaillant ajeita o vestido batismal de seu neto para que ele fique bem. Victoire sorri, está resplandecente, essa fotografia será infinitamente melhor do que uma pintura. Ela aperta um pouco mais o abraço no filho. Meu filho, meu amor.

Anselme, enfiado em seu terno, não sabe como se posicionar. Ele sorri também, não teve a sorte de ter uma fotografia do seu pai. É importante fazer isso por Adrien, e é agora. Ele se mantém ereto.

— Chegue um pouco mais perto dela! Mais um pouquinho!

As risadas explodem. Anselme hesita, depois abraça Victoire na cintura. Vamos imortalizar esse momento, ela diz para si mesma. A felicidade de uma família nova, unida e, agora, gravada pela luz. Eles sorriem enquanto o fotógrafo se esconde sob a capa. Quando sai dali e proclama, mais uma vez, que estava perfeito, Anselme dá um beijo na bochecha de Victoire. A pequena assembleia aplaude o gesto afetuoso.

Quando a sessão de poses parece terminada, Victoire tem uma ideia repentina:

— Tem mais uma que eu gostaria de fazer. O senhor nos permite? Eu preciso ir chamá-los.

— Com toda a certeza, madame de Boisvaillant.

— O que houve? — Anselme pergunta.

— Eu queria tirar uma fotografia com toda a casa. Ou seja: Huguette, Pierre e Céleste.

Ela acrescenta, olhando-o diretamente nos olhos:

— Eles estiveram aqui por nós, mais do que todos os outros...

— Você tem razão, vamos chamá-los!

Huguette chega em seguida, com seus passos pesados:

— Mas me deem um tempinho para me pentear, para me mudar! Eu não sabia disso! Aliás, essa engenhoca me dá medo!

— Não se preocupe — Victoire a tranquiliza —, a senhora está muito bem penteada. Basta tirar o avental e está pronto!

Pierre hesita em tirar a boina, eternamente parafusada na sua cabeça. Acaba ficando com ela. Céleste não diz nada, fica esperando que a posicionem. Henriette de Boisvaillant exclama, diante daquela pele tão pálida:

— Como é linda essa criança!

Céleste sorri para ela. Olha para eles, todos que ali estão, essa família de um tempo, por uma última vez. Instalam-se no meio do gramado. O casal Boisvaillant no centro, Pierre e Huguette ao lado. Um pouco isolada, perto de Victoire: Céleste.

A objetiva e a luz entram em acordo para que esse momento fugaz não seja esquecido nunca. O começo da vida de Adrien, prelúdio de um caminho de alegrias e tristezas. Imagem perfeita, imagem fixada para sempre. Rastro suave sobre um papel amarelado.

Céleste espera a noite toda que o dia chegue. Observou a lua sobre a árvore, depois a viu desaparecer, e pouco a pouco a luz voltou. Prepara sua trouxa, não tem quase nada para levar, só o vestido. Ela o enrola em seu xale. Entre os dois: o rosário. Está pronta.

Dá uma última olhada no quarto, na pequena cama de ferro, na cadeira, na cômoda, tudo o que fez seu mundo nesses últimos anos. Pela janela, contempla o jardim. Tem luz na casa de Huguette e Pierre. Está na hora.

Ela gesticula atrás dos ladrilhos, Pierre vem abrir.

— Pierre, será que você poderia me levar de volta para o meu vilarejo?

— O que é que houve?

É Huguette quem aparece.

— Eu queria que Pierre me levasse de volta para o meu vilarejo.

— Para fazer o quê?

— Para descansar um pouco...

— Mas madame e monsieur estão sabendo?

— Não exatamente... Eu estava contando com você para dizer para eles. Eu volto logo.

— Mas isso não está certo!

Huguette perde as estribeiras.

Pierre pega em seu braço e, com um aceno de cabeça, ordena que fique quieta. Compreendeu o que sua esposa não foi capaz de perceber. A magreza, a fraqueza e, acima de tudo, as pupilas em chamas. Ele conhece isso. Isso o leva muitos anos para trás. Sente que ela está determinada, ele a acompanhará até seu vilarejo. Balança a cabeça.

— Obrigada, obrigada, Pierre.

Vão levar duas horas para chegar na cidade. Durante todo o trajeto, Céleste fica em silêncio. Com Pierre é bom, dá para apreciar a paisagem sem se sentir na obrigação de conversar... E o campo é tão lindo, as árvores, o céu, essa estrada.

Meu Deus, eu nunca tinha enxergado assim... Meus olhos estão se abrindo.

Chegarão em seguida. Céleste fará o caminho que resta a pé. Pierre a ajuda a descer da caleche. Agora eles estão face a face. Ele tira a boina, mergulha o olhar nas pupilas em chamas de Céleste e, de repente, a aperta com força em seus braços. Um abraço que faz tremer todos os seus membros.

— Obrigada, obrigada, Pierre.

Ele a aperta mais uma vez, depois recoloca a boina e vai embora depressa. Da vida, guardamos apenas alguns abraços fugazes e a luz de uma paisagem.

Céleste, nesse momento, caminha pela estrada. Ela sabe que ainda vai levar pelo menos uma hora.

Como essa natureza é doce.

Mais adiante, enxerga uma moita. É ali que vai poder se trocar. E em seguida: aí está ela em seu lindo vestido. O vestido parisiense, o vestido da lembrança, que ela veste como a pele de Victoire. Deixa por ali mesmo o resto das suas coisas.

Extenuada, já sem fôlego, ela chega à clareira. Com as poucas forças que agora lhe restam, ela dança. Levanta a barra do vestido e dança sem parar. Com Victoire, com Adrien, com aquelas que encontrou em Paris, com seu pai, sua mãe, com quem ela amou.

Uma dança animada, a última.

Santa Maria, mãe do mundo, venha aqui, agora, me encontrar. Eu quero me fundir nesta clareira. Aqui, aonde eu sempre vim, aqui, onde dou meus passos pela última vez. Eu sinto o sol sobre os meus dedos, eu fecho os olhos e vejo Victoire.

Victoire, luz da minha carne, eu te deixo Adrien, filho do nosso amor. Eu vi você pegá-lo nos braços. E a luz brilhou em mim, me dando forças para partir e deixá-los para sempre. Não quero ser nada além de uma lembrança ardente carregada pelas almas de vocês.

Santa Maria, mãe do mundo. Eu olho para o céu e vejo você. Atrás das nuvens, você está lá. Eu me deito na grama, derrubada por essa claridade ofuscante.

Victoire, seu rosto está perto do meu, eu sinto sua respiração. É fresca, quase fria. Não entendo suas palavras, mas são muito, muito doces. Eu mergulho em seus olhos e me afogo em seu olhar. Você me recebe e, por sua graça, o céu se abre só para nós, e nós dançamos, dançamos, tão intimamente enlaçadas que nossos corpos são apenas um.

Nossa pele no céu tão claro.
Nossos olhos. Eu os fecho.
Eu sou o céu.
Eu sou você.

Agradeço imensamente a Cyril Auvity pela leitura atenta e sensível, pelo apoio total.

Descubra a sua próxima
leitura em nossa loja online

dublinense .COM.BR

Composto em ARNO e impresso na
PALLOTTI, em PÓLEN BOLD
90g/m², em SETEMBRO de 2020.